WISSEL

GERİYE DÖNÜŞ

Murat KÖYLÜ

Ankara, 2008

GERİYE DÖNÜŞ

FARK Yayınları ©

Değişim Kitaplığı Serisi: 5

Genel Yayın No: 33

Yayın Yönetmeni	: Ümit Çıkrıkcı
Sayfa Mizanpajı	: Fikirci Reklam Ajansı
Düzelti	: Yener Lütfü Mert
Kapak	: Düş Mühendisleri
Baskı	: BRC Matbaacılık

1. Baskı : Mayıs 2008

FARK YAYINLARI

İnkılap Sokak No: 31/2 Kızılay/ANKARA

Tel: 0312.417 27 30 • Faks: 0312.417 27 31

e-posta: fark@farkyayinlari.com • web: www.farkyayinlari.com

TEMSİLCİLİKLERİMİZ

BURSA	: Orhan Yalçınkılıç • Alp Dağıtım Kitabevi • Tel: 0224.223 01 19
ÇANAKKALE	: Metin Küren • Ayışığı Kitaplığı • Tel: 0286. 217 22 24
DENİZLİ	: Kağaç Collection Kitap Yayın • Tel: 0258.213 62 51
EDİRNE	: Paradigma Kitabevi • Tel: 0284. 214 10 13
GİRESUN	: İsmail Ceylan • Kültür Kitabevi • Tel: 0454. 216 01 41
İZMİR	: Anadolu Dağıtım • Tel: 0232 483 05 03
K.MARAŞ	: Abdullah Özdemir • Çağdaş Kitabevi • Tel: 0344. 224 20 72

ISBN: 978-975-6424-39-1

İÇİNDEKİLER

Önsöz 7

I. Bölüm
Yolda Yolcum Var Benim... 13

II. Bölüm
Yolun Açık Oluversin... 31

III. Bölüm
Uyan Türk Oğlu, Uyan.. 37

IV. Bölüm
Sözkonusu Vatansa Gerisi Teferruat 51

V. Bölüm
İnsanlık Gözünde Sınıfta Kalmak... 63

VI. Bölüm
İnsanlık Ayıpları - Soykırım.. 75

VII. Bölüm
İstiklal Yoksa İstikbal de Olamaz... 101

VIII. Bölüm
Sakarya'dan U Dönüş 117

IX. Bölüm
İzmir'e Doğru... 147

X. Bölüm
İzmir'in Dağlarında Çiçekler Açar 179

XI. Bölüm
Son 189

Kaynakça... 193

Yaşamı zorluklarla, yokluklarla geçen
(mekanı cennet olan) ANNEME ve tüm annelere...

ÖNSÖZ

Birkaç yıl önce görevim nedeniyle Hatay'ın Yayladağ ilçesinde bulunmuştum. Görev bitiminde küçük bir kahvehanede ilçenin en yaşlısı, 98 yaşında olduğu söylenen Emin Amca ile tanışmıştım. Emin Amca, oldukça ilerlemiş yaşına rağmen, dinç, sağlıklı görünüşü ve müthiş hafızasıyla beni şaşırtmıştı. Hayatının tamamı o yörede geçmiş yaşayan bir tarih gibiydi. Emin Amca ile tanıştıktan hemen sonra sohbet etmeye başladık. Özellikle merak ettiğim, 20 yıl süren Fransız işgali dönemiydi. Anlatmaya başladı:

-"Fransızlar işgale geldiklerinde henüz 16 yaşındaydım. Samandağ'dan kıyıya çıkan Fransızlar, köyde bulunan herkesi camiye topladılar. Caminin kapısına birkaç nöbetçi diktiler. Hepimiz, birazdan içeriye girip üzerimize yağacak mermi yağmurunu düşünüyor ve son dualarımızı ediyorduk. Birkaç saat sonra yüksek rütbeli bir subay yanında silahlı Fransız askerleriyle birlikte kapıdan içeri girdi. Uzun boylu oldukça şık giyimli bu subay, yanındaki Ermeni asıllı asker aracılığı ile hepimizden bu kısa esaret için özür diledi ve bize neden buraya bu süre içinde hapsedildiğimizin sebebini anlattı. Samandağ'da ilk çıkan Fransız birliklerine, ilçede bulunan bazı Türkler ateş ederek birkaç katırlarını telef etmiş. Öncelikle, askerlerinin bu konuyu bahane ederek yerli, masum halka zarar verebilir endişesiyle uygulanan bu birkaç saatlik esaretin, bizleri kötü niyetli (özellikle Ermeni asıllı) askerlerden korumak maksadıyla yapılan bir uygulama olduğunu söyledi. Hepimize, serbest olduğumuz, huzur içinde evlerimize ve işlerimize gidebileceğimizi, ayrıca isteyenlerin Fransız Jandarması olarak çalışabileceklerini söyledikten sonra ayrıldı. Yayladağ'da bir Fransız karakolu inşa edildi[1]. Ben de 20 yıl boyunca Fransız jandarması olarak görev yaptım."

Emin Amca'nın anlattığı dönemde Yunanistan, İngiliz desteği ile İzmir ve Ege bölgesini işgal etmeye başlamış, önlenemez bir nefretle sivillere karşı uyguladıkları insanlık dışı yöntemlerle, tarihte hep utançla hatırlayacakları bir savaşın henüz başındaydı.

Çocukluk yıllarım İzmir'de geçti. Okula başladığımız ilk günden beri bir Yunan düşmanlığı hayatımıda hep yer almıştı. Hafızamda, "Yunan" kelimesiyle "düşman" kelimesi eş anlamlıydı. Beni ve benim gibileri, hiç tanımadığımız bu millete karşı bu kadar büyük bir nefrete yönlendiren olaylar ise durulması beklenirken, bilakis her iki hükümette de siyasi kazanç peşinde koşan iyi yetiştirilmemiş ihtiraslı siyaset ve din adamları iki halkın arasındaki dostluk uçurumunu derinleştirmek için tüm yeteneklerini kullanmaktan çekinmiyorlardı. Bu iki ülkede de politik başarı, karşılıklı birbirlerine sağlayacakları üsütünlük ve kazanacakları imtiyazlardan geçiyordu. Sağduyu yerini düşmanlığa çoktan bırakmıştı bile. Geçmişi yaşatmak, intikamını almak ve fanatik halkın sempatisini kazanarak, halklarının refahı ve mutluluğu için harcayacakları enerjilerini, düşmanlık ve nefrete yönlendiren siyasetçiler kazançlı görünüyordu. 1920'li yıllarda başlayan dostluk ortamının, iç işlerinde politik malzeme arayan kötü niyetli politikacıların pozisyonlarını güçlendirmek için tek engelleri, Türk- Yunan dostluğunun yıkılmasıydı.

---

1   Halen Yayladağ İlçesi Askerlik Şube Binası olarak kullanılmaktadır.

1950'li yılların sonlarına doğru önce Yunanlı fanatikler Selanikli Mustafa Kemal Atatürk'ün evine saldırmışlar, bunun üzerine İstanbul'da büyük bir gösteri yapılmış, mübadele dışında kalan Rum halkın ev ve iş yerleri tahrip edilmişti. 1920'lerde gömülen savaş baltaları çıkartılmış, aradaki kan davası hortlamıştı. Özellikle 60'lı ve 70'li yıllarda Kıbrıs'ta yaşanan olaylar, Rum ENOSİS'in yerli Türk halkını katletmesi, iki halk arasında 1919–1922 döneminden sonra yaşanan en acımasız tablolardı. Görsel, işitsel iletişim araçları gelişmiş, yapılan her şey kısa zamanda duyulur ve görülür hale gelmişti. Siyasetle ilgisi olmayan sıradan vatandaşlar bile nefretle donatılmış azılı birer katil formuna giriyorlardı. Yaşanan yeni olaylar, geçmişin küllenen defterlerini, acılarını da tekrar körükleyerek ateşliyordu.

Yunan düşmanlığının en doruğa çıktığı dönemlerdi. Öyle bir nefretle donatılmıştık ki, karşımıza çıkacak ilk Yunanlıyı kim olduğuna, ne olduğuna bakmadan paramparça edebilirdik.

Bir Yunan Kralı[2] savaşı tarif ederken,"İhtiyarlar düşünür, gençler ölür" demişti. Aslında meselenin özü de bu sanırım. Yüz yıllardır bizi yönlendiren, krallar, padişahlar, din adamları, politikacılar, devlet adamları, seçtiklerimiz veya seçmeyip kendini bu makamın sahibi olarak görenlerin vermiş olduğu kararlarla ülkeler işgal edilmiş, insanlar öldürülmüş ve milletler arasında kin ve nefret tohumları ekilmiştir. Kan davaları başlamış ve yüzlerce yıl devam etmiş, bu nefret genlerle olmasa da anlatılarak nesilden nesile aktarılarak süregelmiştir.

İnternette tanıştığım bir Yunanlı Avukat bana, "Türkler Anadolu'ya geldiklerinde Ege ve çevresinde 13 Milyon Yunanlı yaşıyordu. Şimdi neredeler? Hepsi Türkler tarafından katledildiler"

---

2   Agamemnon

diyordu. Ben onun gözünde 13 milyon Yunanlıyı öldüren pis bir katildim. Halbuki hayatımda hiç Yunanlı arkadaşım veya tanıdığım olmadığı gibi öldürüldüğünü iddia ettiği sözde 13 milyon Yunanlı halkından hiçbirini de tanımıyorum. Ama onun gözünde Türk olmam, katil olmam anlamına geliyordu.

Ne bizler, ne de Yunan halkı katildir. Bu kesin. Katil her kimse o bulunup cezalandırılmalı veya yok edilmelidir. Politik sorunları bahane ederek, halkın fanatik, milliyetçi ve din duygularını körükleyip, milletleri birbirine düşman eden politikacı, devlet ve din adamları katillerdir. Aksi takdirde, İnka medeniyetini yok eden İspanyolları, Kızılderili Yerlileri yok eden Amerikalılar şu an dünyanın en vahşi ırkları olmazlar mıydı?

Asıl olan insanlıktır. Tüm dinlerin, doğmaların, kültürlerin temelinde yatan tek kavram budur. Herkesin bu dünyada insanca yaşama ve insan olmakla ilgili kazanımlarını kullanma hakkı olduğuna inanırsak, buna saygı duyarsak sanırım tüm sorunlarımız çözülür. Ama kötü niyetli din simsarları, politikacıların menfaatlerine veya amaçlarına alet olduğumuz sürece, ne kendi ırkımıza ne de başka medeniyetlere yaşama hakkı tanırız.

Bu kitapla İzmir ve çevresi işgal edilme sebepleri, işgal edildikten sonra yaşananlar ve sonuçları, Yunan devlet adamlarının birilerine hoş görünme, sarsılan siyasi konumlarını kurtarma ve fanatik milliyetçiliği körükleme adına Anadolu seferine çıkmaları ve yaşanan dramı, içlerinde yaşayan Rum ve Türk aileler gözüyle bakmaya çalıştım.

Amacım hiçbir milleti rencide etmek veya yüceltmek değil. Sadece yüzyıllardır körüklenen ve asılsız bu düşmanlığın hiç kimseye faydası olmadığını ortaya koymaktır. Suçlu kimse onu bulup cezalandırmak, suçsuz insanları yok etmemek ve kimsenin suçunu kimseye yüklememektir.

Biz, atalarımızdan miras olarak aldığımız memleketlerimizi çocuklarımıza yaşanır bir şekilde bırakmak istiyoruz. Ortak bilincimiz, birlikte, insanca ve dostça yaşamak olmalıdır.

İnsanlık değerlerimizi unuttuğumuz zaman diğer tüm inançlarımız anlamsızlaşır. Önemli olan elimizdeki silahları bırakmamız değil, kafamızdaki silahları bırakmamızdır. Çocuklarımızı zehirlemeyelim, onların beynini de küçük yaşlardan itibaren düşmanlık tohumları ekerek silahlandırmayalım.

Anadolu'da yaşanan bu dram, hepimize bir ders olmalıydı. Çünkü 15 Mayıs 1919'da İzmir Limanına çıkan Yunanlılar, 8 Eylül 1922'de ayrılırken hiçbir şey eskisi gibi kalmamıştı. Bu topraklara yüzlerce yıl söküp atamayacakları nefret tohumları ekilmişti. Bu topraklarda yaşayan birçok masum Rum halkı da evlerinden barklarından olmuşlardı. Oysa Emin Amca'nın anlatıklarına göre, 20 yıl işgal ettikleri topraklardan Fransızlar, Hatay halkı tarafından ayrılırken alkışlanmışlardı.

Bu kitaptaki olaylar, iki aile üzerinden o döneme ait olaylar, yaşanan yerler ve kişiler, belge, bilgi ve dokümanlara dayalı, tamamen gerçek ve tarafsız olarak kaleme alınmıştır. İzmir'in işgali ile gelişen, Sakarya Savaşı'yla doruk noktaya ulaşan, mütekiben gerileyen Yunan işgal kuvvetlerinin, bir ilkbahar sabahı geldikleri bu topraklardan, bir sonbahar sabahı **geriye dönüşlerini**, yüzyıllardır körüklenen bir hayal uğruna Türk – Yunan binlerce insanı feda etmelerini anlatmaya çalıştım.

Milliyeti ne olursa olsun İnönü'de, Sakarya'da, Afyon'da askerlik mesleği gereği kendilerine verilen emirle hayatlarını hiçe sayarak er meydanında YİĞİTÇE, MERTÇE amaçları, vatanları uğruna çarpışan tüm askerleri saygıyla, rahmetle anıyorum. Ancak, kadın, çocuk, genç, yaşlı demeden silahsız mahsum insanları katleden, yakan, yok eden, soyan, tecavüz eden insanlıktan nasip almayan tüm CANİLERİ de lanetliyorum.

Bu çalışmam sırasında her zaman desteğini gördüğüm ve tanımaktan büyük onur duyduğum Sayın Büyüğüm **Servet YÖRÜK**'e, Dokuz Eylül Üniversitesi Atatürk İlkeleri ve İnkılap Tarihi Bölümünden Sayın Öğretmenim **Prof.Dr.Ergün AYBARS**'a, FARK Yayınları Genel Yayın Yönetmeni **Ümit ÇIKRIKCI**'ya, sevgili arkadaşım ve kadim dostum **Cem HATUNOĞLU**'na ve elbette yardım ve desteklerini hiç esirgemiyen babam **Yusuf** ve ağabeylerim **Nesip** ve **Mehmet Köylü** ile sevgili aileme minnet ve teşşekürlerimi sunuyorum.

Murat KÖYLÜ

(Ankara, 2008)

I. BÖLÜM

"Yolda yolcum var benim"

Hristo, ahşap merdivenleri üçer beşer hızlı adımlarla çıkarken, yüreğinin çarpıntısı, ucuz kösele tabanlı çizmelerden daha çok ses çıkarıyordu sanki. Bu gün, tarihi bir gündü. Önce Yunan Konsolosluğu'nda, sonra da o gün saat ikide, metropolithanede olağanüstü bir toplantıya katılmıştı. Toplantıya elçilik görevlileri, Rum ve Yunan gazeteciler, dini cemaatler ve mahalle heyetleri çağrılmıştı. Metropolit[3] Hrisostomos ve diğer papazlar, Yunan Tümenini ve askerlerini karşılama ve takdis etme heyecanı içindeydiler. Yunan heyeti başkanı Deniz Albay Mavridus, Konsolosluktan gelip hızlıca salona girmişti. Heyecandan titriyordu. Metropolit, Hrisostomos ağlamaya başlamıştı. İnsanlar birbirlerini sevinçle kucaklamışlardı.

Mavridus, bu uğultulu sevinç çığlıklarını susturduktan sonra Yunanistan Başbakanı Venizelos'un işgal bildirisini okumaya başlamıştı.

"-Yunanistan, İzmir'i işgal etmek üzere Barış Konferansı tarafından görevlendirildi. Yüzyıllardır beklediğimiz hedefimiz ger-

---

3 _Patrikten sonra gelen din görevlisi_

çekleşmiştir. Milletimiz idrak ederler ki, bu karar, konferansı idare edenlerin vicdanında ENOSİS'in, İzmir'in Yunanistan'a ilhakının yer bulmasından sona ermiştir. Balkan Harbi'ne kadar aynı boyunduruk altında esir bulunduğum için bugün, Küçük Asyalı Rum kalplerinin ne derece sevinç duygularıyla dolu olacağını iyi hissediyorum. Duyguların açığa vurulmasını önleyecek değilim; fakat bu gösterileri, ahali arasında, vatandaş unsurların hiçbirine karşı husumet ve hakaret mahiyetini almayacağına eminim. Aksine olarak fazla sevinç, gösteri, diğer unsurlara karşı kardeşlik hisleri göstermekte eş anlamlı olmalıdır. İtalyan unsurlara özellikle dikkat gösterilmelidir. İzmir'in Yunan işgali hususunda, İtalya'nın da diğer müttefiklere katılması göz önüne alınmalıdır."[4]

Yunanistan Başbakanının işgal beyannamesini dikkatle dinlemişlerdi. Kulaklarında hâlâ İzmir Metropoliti Hrisostomos'un sevinçten gözleri yaşlı olarak vermiş olduğu mutlu sesi yankılanıyordu.

"-Bugün sizleri, muhteşem ve ilahi bir törene davet ettik. Bu öyle bir törendir ki, milletler uzun yüzyıllar boyunca, ancak bir kez gerçekleştirme şansına sahip olabilirler. Huşu ve saygıyla eğiliniz, ama başlarınızı dik tutunuz. Kardeşler, beklenen an gelmiştir. Yüzyıllık arzular yerine gelmektedir. Olağanüstü yıllar yaklaşmıştır. Irkımızın büyük umudu, anamız Yunanistan'la birleşmek yolunda, bağrımızı kızgın demir gibi yakan ve kavuran o şiddetli, derin ve yakıcı arzumuz, işte bugün, tarihi minnetle anılması gereken 15 Mayıs günü gerçekleşiyor. Bugünden sonra, büyük vatanımız Yunanistan'ın ayrılmaz bir parçası oluyoruz. Yunan tümenleri, Küçük Asya sahillerine çıkmaya başlamıştır. Yaşasın Elenizm"[5].

---

4 CEVİZOĞLU, Hulki, "İşgal ve Direniş", Cevizkabuğu Yayınları, Ankara 2007, s-15,16.
5 Metin Aydoğan, Ülkeye Adanmış Bir Yaşam, Mustafa Kemal ve Kurtuluş Savaşı, Umay Yayınları, İzmir, 2005.s.193

Bu yaşananlardan 6 ay önce, Paris Barış Konferasına, Yunanistan'ın millî istek ve iddialarını anlatmak ve savunmak üzere, Yunan Başvekili Elefterios Venizelos'un başkanlığında bir heyet gitmişti. Venizelos, memleketinin iddialarını 30 Aralık 1918 tarihi ile Paris Barış Konferansı'na verdiği bir muhtırada belirtmiş ve isteklerini ustalıkla savunmuştu. Kendisinin iktidarda kalmasını sağlayabilmek için tezini bütün bütün gücü ile savunmaya mecbur kalmıştı.

Galipler safında savaşa girmiş olan Yunanistan'ın yalnız galiplerin katıldığı bu konferansta ileri sürdüğü iddiaların, tarihi gerçekler ve devletler hukuku karşındaki değeri çok zayıftı. O nasıl olsa paylaşılacak olan Osmanlı İmparatorluğu topraklarından, mümkün olduğu kadar, memleketi yararına büyük bir pay koparabilmek için kendi tezini güçlendirecek bir muhtıra düzenlemişti.

Bu muhtıradaki iddialar, sadece İzmir'i kapsamıyordu. Venizelos, Batı Anadolu'da genel olarak kuzeyde Bandırma'nın 25 km. kadar doğusunda, Marmara sahilindeki Kurşunlu köyünden başlayarak, 764 rakımlı Karadağ-Demircidağ-Uşak'ın 20 km. batısı-Sarayköy'ün 20 km. batısı-Muğla'nın 10 km. kadar doğusu-Bozdağ güneyi ve Akdağ'dan geçtikten sonra, Kalkan kasabasının 10 km. kadar doğusunda Akdeniz sahilinde son bulan bir hattın batısındaki Türk topraklarının Yunanistan'a katılmasını istiyordu.

Yunanistan'ın istediği yerlerle, konferansın bu işle ilgili komisyonunca Yunanistan'a verilmesi uygun görülen yerleri gösterilmiştir. Konferansın yetkili yüksek kademeleri, Yunan işgalinin yalnız İzmir ve Ayvalık kazalarına kapsamasına karar vermişti.

Venizelos'un isteğine göre ise; Büyük Menderes, Küçük Menderes ve Gediz nehirleriyle Bakırçayı'nı, Gönençayı'nı ve Manyas Gölü'ne akan Koraçay'ın ve güneyde, Akdeniz'e dökülen

Dalamançayı'nın suladığı en verimli topraklar ve bunların deniz zenginlikleriyle dolu kıyıları, Türkiye'den almayı istiyordu.

Bu yerlerin Çanakkale Boğazı ile sınırı da Erdek Körfezi batısında ve Marmara kıyısında, Hoyrat Gölü civarında başlayan ve Armutçuk, Tahtalı, Kocakatran dağlarından geçerek Ege Denizi kıyısında, Eski İstanbul burnu civarında son bulan bir hat ile gösterilmişti ki, Biga, Bayramiç ve Ezine kaza merkezleri bu hattın kuzeyinde kalacak ve bunlar Çanakkale Boğazı'nın güney hinterlandı içinde olacaklardı.[6]

Venizelos'un iddiası; Batı Anadolu'da Biga[7] ve İzmit Sancaklarında olduğu gibi, Aydın ve Bursa vilayetlerinde 1.013.195 Rum bulunduğu idi. 3000 seneden beri buralarda yerleşmiş olan Rumlar, bu ülkenin ekonomik ve entelektüel hayatının mekanizmasını teşkil ediyordu. Bu halkın, bölgedeki 15 başpiskoposluk dairesiyle 565 kilise, 652 okul ve bu okullarda okuyan 91.548 öğrencinin idare ve geçimini sağlamakta olduklarını kaydeden Venizelos, Türk olan geniş bir hürriyet sayesinde, bu gelişmenin meydana gelmiş olduğunu hatırlamak istemiyordu.[8]

Venizelos, etnik bakımdan davasını desteklemek için, başka bir taktik daha kullanıyordu. O da Adalar'daki Rum unsurun çoğunluğundan faydalanması idi. Venizelos muhtırasında, "Şayet, Küçük Asya batısı ile coğrafi ve ekonomik bir kül teşkil eden ve halkı tamamıyla Rum olan İmroz, Bozcaada, Midilli, Sakız, Sisam, Nikarye, Rodos civar adalarıyla, Meyis ve Oniki Ada'nın nüfusu ilave edilirse Batı Küçük Asya Rumluğu 1.838.333 kişilik bir kuvvet arzeder" demek suretiyle, Ege denizindeki Rum yoğunluğunu Batı Anadolu unsuru diye göstermeye çalışıyordu.

---

6   Gen.Kur.ATASE Arşivi No. 1/2230 Dlp.11, G.2, Kls.996, Dos.24, F.11
7   *O tarihteki idari teşkilatta Çanakkale Sancağı'na Müstakil Biga Sancağı deniliyordu*
8   Gen.Kur.ATASE Arşivi No. 1/2230 Dlp.11, G.2, Kls.996, Dos.24, F.14

Wilson prensiplerine göre, Osmanlı idaresinde bulunan diğer milletlerin özerk bir idareye sahip olmalarına işaret edilmişti. Venizelos bunu da kabul etmiyor, iddia edilen bölgenin doğruca Yunanistan'a ilhakını istiyordu. Onun savunma tarzına göre; Batı Küçük Asya'da özerk bir hükümet kurulursa, Elen (Hellene) unsurunun üstünlüğü ve bunun 3000 yıldan beri, bu bölgede haiz olduğu üstünlük dolayısıyla, özerk devlet esaslı surette Elenik (Helleenigue) olacaktı. İki Elenik hükümetin[9] aynı zamanda mevcudiyeti, az bir süre sonra, her iki tarafca birleşmek (Enosis) için tabi bir eğilim yaratacaktı ki, bu da milletlerarası münasebetlerde birtakım ihtilaf ve çekişmelere sebep olacaktı. Harpte tam ve kesin bir zafer kazanmış olan galiplerin böyle çekişmeli durumlara yer vermemeleri, bu işi kökünden halletmeleri gerekti.

İzmir'e çıkarılacak 1 nci Yunan Tümeni'nin hazırlanmasını yine Başbakan Venizelos Paris'ten idare ediyordu. Bu maksat için, evvela yolcu ve şilep olarak bütün Yunan vapurlarının derhal Selanik'e gelmeleri hakkında Dışişleri Bakanlığı'na emir vermişti. Toplama maksadının gayet gizli tutulmasını bildiren Venizelos, vapur toplanmalarının; "... Selanik'te bulunan Rus göçmenlerinin İstanbul ve Karadeniz'e nakilleri, yahut tehlike altında bulunan Karadeniz Rumlarının kurtarılması için Karadeniz'e asker yollanması maksadıyla yapılmakta olduğu hakkında şayialar çıkarılmasına önem verilmesini, aksi takdirde, en ufak bir dikkatsizliğin ağır sonuçlar doğuracağını" biliyordu.[10]

Nihayet 10 Mayıs 1919 günü 1 nci Yunan Tümeni'ni taşıyacak gemiler limanda toplanmış ve tümen birlikleri de bindirilmeye hazırlanmış bulunuyordu.

---

9   İki Elenik (Hellenigue) Hükümet birisi Yunanistan'daki hükümet diğeri Batı Anadolu'da kurulmasını Venizelos'un hayal ettiği hükümettir.
10 Gen.Kur.ATASE Arşivi No. 1/220Dlp.1, G.2, Kls.996, Dos.2, F.11

1 inci Yunan Tümeni; 4 üncü ve 5 inci Piyade Alayları, 1/38 inci Evzon Alayı, Topçu Alayı, Tümen İstihkam ve Muhabere Bölükleri ile Sıhhıye ve Lojistik kuruluşlardan oluşuyordu.

Sefer vaziyette, Rusya'ya Bolşeviklere karşı gönderilmek üzere hazırlanmış olan bu tümenin insan mevcudu 12.000 kadardı. Tümen toplu olarak Eleftron'da, topçu birlikleri Orfani Körfezi sahilinde Stavros'ta idi. 11 Mayıs 1919 günü Yunan Genel Karargâhı'ndan telgrafla verilen emirde; icabında mekkarili kıtalarla sıhhıye ve geri hizmet birlikleri, arkadan nakledilmek üzere geride bırakılması, gece dahi kıtaların bindirilmesine devam edilerek 12 Mayıs 1919 sabahı gündoğumuyla beraber, tümen muharip kısımlarını taşıyan vapurlarla yola çıkılması emir olunuyor ve "gecikme felaketi getirir" deniyordu. Tedbir olarak da telsiz susması emredilmiş ve "eratın milli duygularını tahrik ediniz" tavsiyesinde bulunulmuştu.[11]

Tümen komutanı Albay Zafiriu verdiği cevapta, her vasıtayı kullanarak kıtaları vapurlara bindirmekte ve muharip sınıfları öne almakta bulduğunu, üç günlük erzakın tedarik edildiğini, ertesi gün öğleden evvel vazifesini tamamlamış olabileceğini bildiriyordu.

Fakat bindirme ancak 12 Mayıs 1919 saat 09.30'da sona erdi. Stavros'ta bulunan topçu birlikleri, henüz tümüyle bindirilememişti. Bu sebeple tümen, o gün de hareket ettirilemedi.

12 Mayıs 1919 günü öğleye doğru, telefonla Zafiriu'ya verilen bir emirde, tümenin 13 Mayıs 1919 günü saat 10.00'da hareket etmesinin, Venizelos tarafından emredilmiş bulunduğu ve o zamana kadar topçu birlikleriyle, kısmen olsun ikmal birliklerinin de bindirilmiş olacağı, ağırlıklardan bindirilemeyenlerin ise ikinci bir kafile halinde tümenden sonra hareket ettirilebileceği bildirilmiş, tümen komutanı buna göre hazırlıklarını düzenlemişti.

---

11 Gen.Kur.ATASE Arşivi No. 1/220 Dlp.1, G.2, Kls.9, Dos.24, F.1

Tümen kuruluşundaki birlikler 16 taşıt gemisine yerleştirilmişti. Fakat bunda, sevk ve idare bakımından herhangi bir düşüncenin dikkate alınmadığı görülüyordu. Çünkü bindirmenin aceleye getirilmiş olmasıyla beraber, Venizelos'un Paris'ten, doğruca tümen komutanına çektiği telgrafta; İzmir limanında bir İngiliz, bir Fransız ve bir Amerikan muhabere gemisiyle Averoff Zırhlı Kruvazörü ve iki muhribin himaye göreceğini anlatmış oluyordu.

İngiltere Başvekili Lloyd George'un 05 Mayıs 1919 tarihinde Amerikan Cumhurbaşkanı ve İngiltere, Fransa Başvekillerinden kurulu Üçler Komitesindeki ifadeleri, kendisinin İtalyanlara karşı ne kadar derin bir endişe içinde bulunduğunu gösteriyordu. 28 Mart 1919'da Antalya'ya asker çıkarması ile başlayan ve Mayıs 1919 başlarında Konya dahil olmak üzere Kuşadası hizalarına kadar, bütün Güneybatı Anadolu'yu işgal etmiş bulunan İtalya'nın bu faaliyeti, İngiltere'nin kuşkusunu bir kat daha arttırmıştı. Bu konuda Yunanlılar da aynı derecede endişeli idiler. Onlara göre, İzmir'in Yunan kuvvetleri tarafından işgal edilmesine en önemli amacı, öteden beri burayı ele geçirmeye niyetli olan İtalyanları, bir olup bitti ile karşı karşıya bırakmaktı. Onlar, Antalya'yı işgal etmiş bulunan İtalyanların şimdi de kargaşalık çıkarmak suretiyle İzmir'e hakim olmaya kararlı bulunduğu inancında idiler.

Bu sebeple Loyd George, Yunan kıtalarının bir an önce İzmir'i işgal etmelerine önem veriyordu. Bunu sağlamak için de Ege Denizi'ndeki İtilaf Kuvvetleri Başkomutanı Amiral Calthorpe'a, Yunan tümeninin emniyetle İzmir'e çıkmasının sağlanmasını bildirmişti.

Amiral Calthorpe'un uyguladığı emniyet tedbirlerine göre, Mondros'taki İngiliz Deniz Kuvvetleri'nden dört, Yunan Deniz Kuvvetleri'nden de iki muhrip, Selanik'ten itibaren tümen kafilesine refakat edecekti. Amiral Calthorpe bir İngiliz muhribinin içinde olarak konvoyun dört mil ilerisinde bulunacaktı. Büyük Britanya İmparatorluğu himayesi altında bulunduğu söylenecekti.

Yunan Tümenini taşıyan konvoy; Amiral Calthorpe'un emriyle 14 Mayıs 1919 günü Midilli'nin Yero limanına girerek 14/15 Mayıs 1919 gecesini burada geçirdi.

Tümene 15 Mayıs 1919 sabahı İzmir'e çakacağı bildirilmişti. Tümen Komutanı Albay Zafiriu da tümenin İzmir'e çıkış ve oradaki tertibatını kararlaştırmak üzere, Leon muhribi ile İzmir'e gitmişti.

Averoff zırhlı kruvazörü ile Kılkış muhabere gemisi ve diğer belli başlı Yunan harp gemileri İzmir limanında bulunuyorlardı. Averoff zırhlı kruvazöründe Yunan Deniz Albayı Mavridis ile görüşerek, çıkarmanın tarzını ve çıkarıldıktan sonra birliklerin yerleşecekleri bölgeleri tespit eden tümen komutanı, davet üzerine Amiral Calthopre ile temas ederek fikir birliğine vardıktan sonra, tümenin başına dönmüş ve birliklerine özet olarak aşağıdaki emri vermişti.[12]

"Mukavemete imkan bırakmamak için, İzmir şehrinin etrafı süratle abluka altına alınacaktır. Yabancı unsurların şehir içinde kargaşalık çıkarmalarına imkan bırakılmayacaktır. Meydana gelecek mukavemetleri kırmak için, Türk ve Rum mahalleleri birbirlerine tecrit edilecektir. Evzon Alayı, Karantina (dahil) - Kadifekale (dahil) İzmir'i batıdan ve güney batıdan çevirecek ve muhafaza altına alacaktır. 4 üncü Piyade Alayı, yerli kılavuzların gösterecekleri sokakları işgal etmeye ve Rum mahalleleriyle Türk mahallelerini birbirinden tercih etmeye 5 inci Piyade Alayı, şehrin kuzey ve kuzey doğu bölgesini kuşatmaya görevlendirmişti."

İzmir garnizonundaki Türk kuvveti, Yunanlılarca 3000 kişi olarak tahmin edilmiş ve bu bilgi tümen kıtalarına duyurulmuştu. Bu tahmin, iaşe mevcudu olarak doğruydu. Kolordu ve aynı zamanda

---

12 Gen.Kur.ATASE Arşivi No. 1/2230 Dlp.11, G.2, Kls.9, Dos.24, F.65

müstahkem mevki ve bir tümen karargâhının yerleşmiş bulunduğu İzmir şehrine çeşitli geri hizmet ve ikmal tesisleri ve birçok subay aileleri de vardı. Bu sebeple İzmir garnizonunun o günkü iaşe mevcudu 3402 idi. Fakat, muharip kıta olarak İzmir'de bulunan dört piyade taburu ile bir süvari bölüğü iskelet halinde idiler ve bunların silahlı er toplamı 200 kadardı.

O tarihlerdeki Türk Askeri Teşkilatına göre, İzmir'deki Kolordu Komutanı, aynı zamanda İzmir Müstahkem Mevki Komutanlığı görevini de yapmakta idi.

İzmir'i işgale hazırlanan 1 nci Yunan Tümeni'nin mevcudu ise 12.000 kadardı.

1 inci Yunan Tümeni Komutanı Albay Zafiriu'nun tespit ettiği çıkarma planı ana hatlarıyla şöyleydi:[13]

Pasaport ve Alsancak (Punta) İskeleleri hazırlanmıştı. Buraları Yunan deniz silahlı müfrezeleri tarafından sabahın erken saatlerinde işgal ve inzibat altına alınacaktı.

Evzon Alayı Pasaport iskelesinden, 5 nci Piyade Alayı Alsancak İskelesinden, 4 ncü Piyade Alayı 5 nci Alay'dan sonra, yine Alsancak iskelesinden karaya çıkacaklardı.

Hristo, üst kata çıktığında, oturma odasının köşesinden zayıf idare lambasının koridoru aydınlatan loş ışığında annesinin hareketlerinin koridora düşen gölgesini görebiliyordu. Biraz daha yaklaştığında annesi, Eleni'nin bazen Türkçe bazen de Rumca babası Aleksandros'a hararetli hararetli bir şeyler anlattığını görebiliyordu. Bazen sorular soruyor, kocasının yüzüne dikkatlice bakıyor, cevap alamayınca aynı kararlılıkla konuşmasına devam ediyordu.

Hristo, birkaç saniye kapı aralığından bu manzarayı izledi.

---

13   Gen.Kur.ATASE Arşivi No. 1/2230 Dlp.11, G.2, Kls.9, Dos.24, F.66

Annesinin heyecanlandığında hararetli olarak babasıyla tartışması, alışık olmadığı bir görüntü değildi. Çünkü ne zaman annesi bir konuda babasına kızsa veya haklı olduğunu kanıtlamaya kalksa el kol hareketleriyle Rumca ya da Türkçe heyecanlı konuşmalar yapardı. Babası ise genelde bu taarruzu sessizce savuşturmak için cevap vermeden otururdu. Aleksandros, yirmibeş yıllık hayat arkadaşını çok iyi tahlil etmişti. Çünkü, ne söylese veya hangi sorusuna cevap vermeye yeltense, başı kesildikçe çoğalan canavar gibi sorular ve tartışma iki üç katına çıkar, sonrasında içinden çıkılmaz bir gürültü olurdu. Ama cevap verilmediğinde çok kısa bir süre sonra yorulan Eleni, söylene söylene odayı terk eder bir sonraki tartışmaya kadar sakinleşirdi.

Hristo, elinin tersiyle yarı açık oda kapısını yavaşça iterek içeri doğru yürüdü. İçerideki tartışma her neyse umarım benimle ilgili değildir, diye düşündü. İçindeki coşku ve sevincin, anlamsız bir tartışmayla gölgelenmesini yeri ve zamanı değildi. İçeri giren oğlunu gören Eleni, konuşmasını keserek, terden sırılsıklam olmuş, heyecandan yüzü kızarmış gözleri alev alev yanan oğluna doğru baktı. Bir an evvel bu müjdeyi onlara vermek ve konuyu değiştirmek için annesi kendisine bakar bakmaz derin bir nefes aldı ve "yarın geliyorlar" dedi.

- "Bu gün Metropoliti Hrisostomos sevinç içinde bu muhteşem haberi müjdeledi hepimize. Birkaç gündür, Büyük Helen Ordusunun Küçük Asya'ya çıkacağı Rum ahali arasında konuşuluyordu, ama bu kadar çabuk olacağına inanamıyorum" diyerek anne ve babasının yüzlerine dikkatlice baktı. Ancak, beklediği tepkiyi, sevinci görememişti. Babası, iki eliyle elini başının arasına alarak,

"- Bizim felaketimiz olacak..." diyerek, kendi kendine mırıldanmaya başladı. Aleksandros, Valilikte çalışan orta düzey bir devlet memuruydu. Valilik Makamı özel kalemde onbeş yıldan beri görev yapmaktaydı. Ağırbaşlılığı, işine olan bağlılığı ve çalışkanlığı, diğer arkadaşlarıyla arasındaki uyumu nedeniyle Vali Kambur İzzet Bey başta olmak üzere Valilikte çalışan Türk, Rum herkesin güvenini, saygısını ve sevgisini kazanmıştı. Valiliğe gelen, giden tüm evrakları ve belgelerin hemen hemen hepsini görür ve işlemlerini yapardı. İşgal planını da, bu sabah saatlerinde Amiral Galtrop'un başkanlığında yapılan bir toplantıda kararlaştırılmış ve saat 09:00'da Kolordu Komutanı Ali Nadir Paşa ve Vali İzzet Bey'e bir nota ile tebliğ edildiğinde öğrenmişti. Kolordu Komutanın bu planı alır almaz telgrafla Babıali ve Harbiye Nazırı Şakir Paşa'ya sormuş, ancak aldığı cevap "Söylentilere önem vermeyin" olmuştu. Ancak valilikte çalışan Türkler arasında tedirginlik başlamış, diğer Rumlar ise Midilli Limanında Albay Zafiriu Komutasında bir tümenin hazır beklediğini, muhtemelen yarın sabah İzmir ve dolaylarına çıkacaklarını söylüyor ve seviniyorlardı.

Babasının endişesine anlam veremeyen Hristo, annesine

" - Sende mi babam gibi düşünüyorsun" anlamında şaşkın gözlerle baktı.

Eleni ise Giritli bir papazın kızıydı. Babası, dini görevleri dışında, Girit'in Yunanistan'a ilhakını savunan Rum çeteleriyle işbirliği yapar, Türk köylerine baskınları organize eder, bu çetelere lojistik ve istihbarat desteğinde bulunurdu. Büyük Yunanistan hayali gerçekleşmesi için Osmanlı yönetimi ve Türklere karşı, pazar ayinlerinde yaptığı konuşmalarıyla yerli Rum ahaliyi kışkırtırdı. Fanatik bir Türk tarafından, bir pazar ayini çıkışında vurularak öldürüldükten sonra Heleni, kardeşi ve annesi ile birlikte önce Fethiye'ye sonrada İzmir'e taşınmışlardı. Babasının bir Türk tarafından öldürülmesinden dolayı, bütün Türk ve Müslümanlardan nefret ederek büyümüştü. Kızı Samira ve oğlu Hristo'yu da bu nefretle büyütmüştü. Kocasına dönerek;

"-Seni anlayamiyorum Aleksandros, Türklerin yaninda çaliş-mak, seni korkak ve tedirgin yapmış. Tanri cennetine kabul etsin babaciğim hep derdi, ne kadar iyi görünürlerse görünsün Türklerden asla dost olmaz. Bu barbar milletin, Haçlı seferlerinde, Hristiyanları kadın-çocuk ayrımı yapmadan vahşice öldürdüğünü; Anadolu'nun da esir pazarı kurup, sattığını, Hristiyan halkın köleleştirilip zorla dinlerinin değiştirildiği; bazı soydaşlarımızın Türklerden korkmala-rı nedeniyle Türk adı taşımalarına rağmen gizli Hristiyan oldukları ve gizli Rum adı taşıdıklarını bilmiyor musun? Yarın, bütün bunla-rın sonu olacak. En güzel elbiselerimizi giyeceğiz, sandıkta yıllardır sakladığımız bayraklarimizi çıkaracağım ve kahraman ordumuzu bağrımıza basacağım. Onlar bizim kurtuluş umudumuz ve geleceği-miz, ama sen zavallı Aleksandros bütün bunlara sevineceğine fela-ket telallığı yapıyorsun. Yazık olsun sana!"[14]

"-Ne anlatiyorsun be kadın", Aleksandros öfkeyle yerinden doğruldu. Hristo ilk kez babasını annesine karşı, bu kadar güçlü tep-kili görmüştü.

"-Nefretin gözlerini öyle kör etmiş ki, geleceğimize biçilen fe-laketi göremiyorsun vire. Fanatik milliyetçi ENOSİS yanlısı papaz-larin nutuklarını anlatma bana. Kırk yıldan beridir bu topraklarda yaşıyoruz, söylediklerinin hiçbirini görmedim. Fanatik Türk milli-yetçilerinin münferit üç beş olayının dışında hangi vatandaşımıza zarar gelmiştir vire? Yıllarca Selanik, Manastır'da eşkıyalık yaptı-lar, yol kestiler haraç aldılar. Oralar, Yunanistan'a geçtiğinde hepsi devlette en iyi yerlere geldiler. Şimdi de eminim bunlar gibi gözü dönmüş katiller, hedef gözetmeksizin Türk mahallelerine saldıracak-lar, kadın, çocuk, ihtiyar demeden kıyacaklar, mallarını mülklerini yağmalayacaklar. Yunanistan fakir, Eleni ve birçok fakir Yunan gen-

---

14 Yunan Ruhban Okullarında okutulan ders kitaplarında anlatılmaktaydı.

ci İzmir'e gelmek için askere yazıldığını duydum. Amaçları, Küçük Asya'yı, Anadolu'yu soymak, talan etmek ve masum insanların kanını dökmek. Neden bunları göremiyorsun? Yüz yıllardır kardeşçe yaşadığımız komşularımızla aramıza kan girecek. Düşünebiliyor musun, yarın, bu insanlar birdenbire düşmanımız olacaklar, öyle mi? Yıllarca çocuklarımızın sütünü getiren Hasan Efendi, bakkalımız Dursun Efendi, evimizin çatısnı yaparken kerestemizi borç aldığımız ve aylar sonra ödeyene kadar bir kere olsun rahatsız etmeyen Yahya Efendi, birlikte çalıştığım ve kalem arkadaşlarım Yusuf, Seyfi daha birçokları düşmanlarımız mı olacak? Samira'nın beş yaşında terastan düştüğünde, kızımızı yaşatmak için elinden geleni yapan Tabip Adnan Beyi ve Hemşire Hasibe Hanımı nasıl unutabilirim. Yarın kan akacak Eleni ve bir kere kan akmaya başladı mı kimse bu kanı durduramayacak.

Ayrıca, bu işgal tercihinin, milletimizi, ırkımızın davası olduğunu mu düşünüyorsun? İngiltere, bu bölgenin güçlü bir İtalya tarafından işgal etmelerini önlemek için, milletimizin Ege ve İzmir'e karşı olan zaaflarını kullanarak Türklere karşı savaştıracak. Afrika'da, Arabistan'da, Irak'ta, Filistin'de Arapları kullandı. Çanakkale'de Anzakları... Selanikli bir Türk Komutanın, İngilizlere karşı, Gelibolu'daki başarıları, bütün İzmir'de günlerce anlatıldı. İngiltere, şimdi de Anadolu'da, Küçük Asya'da bizi maşa olarak kullanacak. Başvekil Elefterios Venizelos, kendisinin iktidarda kalmasını sağlayabilmek için tezini bütün gücü ile savunmaya mecbur. Etnik ve mitolojik bağlarla klasik İyonya ve Truva'ya kadar uzanan toprak istekleriyle, Yunan halkının milli duygularını uyarıp, durumunu sağlamlaştırmak istiyor. Çünkü, şu an Venizelos, 1910 ile 1914 arasındaki popüler başvekil değil. 1914'ten sonraki olaylar, tarafsızlık politikası güden Kral Konstantin'in, İtilaf Devletleri'ne katılmak isteyen Venizelos'la arasının bozulduğunu gösteriyor. Venizelistler, bu anlaşmazlık dolayısıyla istifa ederek önce Grit'te bağımsız bir hükümet kurdular ve sonradan Selanik'e gelerek o bölgenin de idaresini ele geçirdiler. Venizelistler özellikle Yunanistan'da Kralcılar ve Venizelistler gibi büyük bir ikiliğin doğmasına yol açtılar. Daha sonra, biraz da İtilaf Devletleri'nin desteği ile Başvekil Venizelos Yunanistan'a hakim oldu, memleketini denizaşırı bir maceraya sürükleyerek, bu ikililiği kendi yararına ortadan kaldırmak amacını güdüyor. Yunanistan'daki başarısızlıklarını örtmek için böyle bir fırsatı arasaydı bulamazdı. Hem yükselen muhalefeti, kralcıların sesini susturacak, hem de Yunan ENOSİS lerin yıllardır bekledikleri fırsatı vererek bir kahraman olarak tarihe geçecek. Ancak unutulan bir şey var; Yunan askeri Türk askerinden farklı değil. Askerlerimizin, altı yıldır savaşmaktan, bırakın savaşmayı, yürümeye bile halinin kaldığını sanmıyorum. Hâlâ Balkan harbinin ve Dünya Harbinin yaralarını saramadılar. Anadolu, Yunan hayalperestlerinin hayallerindeki cennet değil, korkarım hepsinin boğulacağı bir bataklık olacak. Asıl endişem, şimdi bu işgal için şatafatlı gelen Yunan Kıt'alarını alkışlayanlarla birlikte bizler, yıllarca yaşadığımız bu topraklardan hüzün içinde geri dönmek zorunda olma ihtimalimiz. Oysa, artık bu savaşlar bitmeli. Ne tek Yunan, ne de Türk kanı akmasın, bu denize. Ege Denizi, komşumuzla aramızda, birbirimizi boğazladığımız, düşmanlıkların doğduğu bir kan denizi değil, yaşamı paylaştığımız, çocuklarımızı birlikte büyüteceğimiz bir dostluk denizi olmalı."

Hristo, babasının konuşmasının sonunu beklemeden geldiği gibi, ahşap basamakları birer ikişer atlayarak sessizce dışarı, evin avlusuna çıktı. İki katlı, taş ve ahşaptan yapılmış oldukça eski bir Rum evi olan bina, fırtınadan önceki sessiz ve sakin bir gemi gibi körfezin karanlık sularına doğru bakıyordu. Bir süre avluda durdu. Kordon'dan gelen Rumca müzik ve şen kahkaha sesleri ruhunu biraz daha dinginlendirmişti. Gözlerini kapadı "artık bu savaş ebediyen bitti..." diye içinden geçirdi. "Bu kadar güçsüz ve çaresiz bir

Osmanlı kaderine razı olacaktır. İtilaf devletlerinin hatta Amerika Devletinin desteğini almış Yunanistan'ı bu topraklardan kimse söküp atamaz.", diye düşünüyordu. Babasını da anlamaya çalışıyordu. Yıllarca Türk makamlarında memur olarak çalışması onu böyle muhafazakâr ve temkinli yapmıştı. Zamanla, babasının endişelerinden sıyrılıp, kendisi ve annesi gibi düşüneceğine emindi.

Avludan çıktı. Kaba saba olarak döşenmiş taş kaldırımları çizmelerini şakırdatarak keyifli keyifli pasaport iskelesindeki şenliklere katılmak için yola koyuldu. Evleri, Türk mahallesine çok yakındı. Düşük gelirli bir memur ailesi olduklarından kıyıya yakın yerlerden ev alamadıklarından Türk mahallelerine yakın bir yamaçta oturuyorlardı.

İçindeki heyecan, yüzyılların esaretin sonunu izleme ve bu tarihi ana tanık olmanın ötesindeydi. Yol boyunca, Rum evlerinden gelen neşe dolu şen kahkahalar ve şarkıları duydukça tüyleri diken diken oluyordu. Birçok ev, bugünün hayaliyle en değerli köşelerinde kutsal bir emanet gibi sakladıkları, mavi beyaz bayraklarla donanmıştı bile. Pasaport iskelesine ve Saat Kulesine giden sokak ve caddeler mavi beyaz bir koridordu sanki. Annesinin küçükken öğrettiği bir Selanik Türküsünü mırıldanarak sevinçle sahildeki coşku ve eğlencenin içine doğru yürüyüp gitti.

"Sabah seher vaktinde

Ergenler açıyor

Herkesin yari gelir geçer aman

Benim sevdiceğim de geçmeyo

Yağma yağmur esme rüzgar

Yolda yolcum var benim

Başım uğradı sevdaya

Yarlen cengim var benim
Sabahın seher vaktinde
Yar sarıyor şalini
Düştüm çaresiz dertlere
Kimse bilmez halimi"

II. BÖLÜM

"yolun açık oluversin"

Kadifekale sırtlarından, körfeze doğru, İngiliz zırhlıları arkasından batmakta olan güneşine bakakalmıştı, Salih. Sanki, memleketin, güzel İzmir'in umutları da, batan gün gibi bir savaş gemisi arkasında sönüp gidecekti. Kadifekale'nin körfeze bakan yamacında iki katlı ahşap bir evleri vardı. On yedi yıl evvel Akhisar'dan annesi, kız kardeşi ve dedesiyle birlikte bu eve ilk geldiği günü hatırlıyordu, henüz beş yaşındaydı o zaman.Terasa çıkıp önünde uzanan körfeze baktığında, "Abovv! Ne büyük göl bu" demişti.

Salih, yirmi ikisine henüz girmişti. Annesi, babasının o doğmadan önce bir Yunan Harbinde öldüğünü söylemişti. Çok hamarat ve becerikli kadındı Hayriye Hanım. Gençliğinde İzmir'de okumuş ve iyi bir eğitim almıştı. Salih'in babasıyla da İzmir'de okurken tanışmıştı. Babası, bir posta memuru olan Hayriye Hanım, İzmir Kız Lisesinde okuyordu. Birkaç kez, lisenin denize bakan kapısında Halit'in kendisini dikkatle izlediğini hissetmiş, ama hiç oralı olmamıştı. Sonradan babası Hüsrev Efendi'nin bir akşam;

"- Kızım seni, kereste tüccarı Yahya Bey'in ortanca oğlu Halit görmüş, beğenmiş. Bu gün amcası postahaneye geldi, münasipse istemeye geleceklermiş, ne dersin?", demişti. Henüz on beşinde olmasına rağmen beğenilmek ruhunu okşamıştı. Halit'i de göz ucuyla kaçamak gördüğü kadar da, uzun boylu, gösterişli ve yakışıklıydı. Sessizce başını eğmiş ve bakışlarını yere yönelterek bu talebi onaylamıştı. Hayriye Hanım, Salih'in doğumuna kadar geçen dört yılı, ömründe tekrar tekrar yaşamak istediği yıllardı. Halit'in, Salih'in doğumuna birkaç ay kala, eşini, kızını ve doğmamış bebeğini geride bırakarak, gönüllü olarak katıldığı Yunan Harbinde ölmesi, Hayriye Hanımın hafızasında bir takdir-i ilahi olarak kaldı hep. Soranlara,

"- Ben bir ömrü dört yıla sığdırdım, bundan sonra iki çocuğum için yaşayacağım." demişti.

Eşinin ölüm haberini aldıktan sonra, emekli olup memleketi Akhisar'a taşınan babası Hüsrev Bey'in yanına taşındı. Ancak Saliha ve Salih'in okula gitme yaşları geldiğinde, iyi bir eğitim almalarını sağlamak için, rahmetli kayınpederi Yahya Bey'den Kadifekale yamaçlarında kendisine kalan iki katlı ahşap eve, babasıyla birlikte geri dönmüştü. Babasının emekli maaşıyla geçinmekte zorlandıklarından, adliyede Türk ve Rum ahalinin dava dilekçesini yazmaya başladı. O kadar becerikli ve hızlıydı ki yazdığı istidalar usta avukatlara taş çıkartırdı. Hatta yeni dava alan bazı avukatların bile ilk dilekçelerini Hayriye Hanım'a yazdırdığı söylenirdi. Bu süre içinde, terbiyesinden, hanımlığından ve becerikliliğinden etkilenen her kesimden birçok taliplisi çıkmasına rağmen, Halit'le yaşadığı o dört yılın anısını hiç bozmadı, kirletmedi. Tüm sevgisini ve şefkatini kızı ve oğluna verdi, onları yetiştirdi.

Güneş batmıştı artık. Karanlıktaki hayaletler gibi, körfeze demirlemiş İngiliz zırhlılarının belli belirsiz ışıkları körfezde yanıp sönüyordu. Sahilden, Rumca çalınan neşeli müzik sesleri, denizden esen rüzgârla bazen artarak, bazen de azalarak geliyordu. Annesinin sesiyle irkildi;

"Salih, oğlum yemek yemeyecek misin? Seni bekliyoruz sofrada, biliyorsun daha dedeni yatıracağım..." Hüsrev Bey, üç yıl önce kısmi felç geçirmiş, sol tarafı hareketsiz kalmıştı. Zamanla sol tarafını biraz olsun hareket ettirmeye başladıysa da fonksiyonlarını tam olarak yerine getiremiyordu. Hayriye Hanım, babasına bir çocuk şefkatiyle bakıyor, onu mutlu etmek, bu rahatsızlığını hissettirmemek için elinden geleni yapıyordu. Soranlara gülerek, "Benim iki değil, üç çocuğum var", diyordu.

Son bir haftadır yaşadıklarını düşünüyordu, Salih. Koskocaman Osmanlı Devletinin bu kadar çaresiz olabileceğini düşünemiyordu. Sanki, her geçen gün her şey biraz daha kötüye gidiyor, ülkenin geleceği biraz daha karanlığa gömülüyordu. Reddi İlhak cemiyetince, dün akşamki Maşatlıkta[15] tertiplenen toplantıda arkadaşlarıyla birlikte kararını vermişti, silaha sarılıp Kuvayı Milliye'ye katılacaklardı. Eyüp, Celal, Sabri ve diğer can yoldaşları ile silahtan başka memleketi savunacak bir aracın olmadığına karar vermişlerdi.

Bu gün öğlenden önce de Türk Ocağı'nda toplanmışlardı. Toplantıdan sonra içlerinden seçilen birkaç arkadaşıyla Vali Kambur İzzet Bey'e çıkmışlardı. Devletin yöneticilerinin bu kadar acz içinde olabileceğini, Valinin Makamından çıktıklarında anlamışlardı. Hayal kırıklıkları bin kat artmıştı. Kendi elleriyle vatanı, tek kurşun bile atmadan Yunanistan'a terk ediyorlardı. Yüreğinden bu işgale karşıydı ve hep karşı olacaktı. Babası Halit Bey'i düşündü. Boşuna mı ölmüştü? Boşuna mıydı, yıllarca baba sevgisinden yoksun kalması? Bu işgale boyun eğildiğinde, Afrika'da, Arabistan'da, Galiçya'da, Çanakkale'de babası gibi yüzbinlerce vatan evladı boşuna mı ölmüş

---

15 Varyant girişinde bulunan Musevi Mezarlığı

olacaktı? Hatta bu gün toplantıda Damat Ferit yanlısı alçak gazeteci Ali Kemal'in, "Olmaz, olmaz memleketi yangın yerine çeviririz" sözleri çıldırtmıştı hepsini. Türk insanın teslimiyetçi bu ruh haline anlam veremiyordu. Daha ilginç olanı ise asker olarak en başta tepki koyması gereken Kolordu Kumandanı Nadir Paşa'nın,

" -Silahlı göreceği herkesi Divan-ı Harbe yollayacağını" söylemesi umutlarını azaltıyordu.

Ülke adım adım işgal ediliyor, Mondros Mütarekesini bahane eden ülkenin valisi ve Kolordu Kumandanı silahlı mücadele başlatmak isteyen gençleri askeri mahkemeye vermekle tehdit ediyor ve ordunun garnizondan çıkmamasını emrediyordu.[16]

Hayriye Hanım ikinci kez seslendiğinde, hava artık kararmıştı. Limandan gelen neşe dolu, sirtakiler, şarkılar ve kahkahalar iyice artmıştı. Canı sıkıldı. Arkadaşlarıyla karalaştıkları gibi, sabaha karşı korulukta buluşup, Menemen üzerinden Manisa'ya geçeceklerdi. Henüz nasıl bir mücadeleye katılacaklarına karar vermemişlerdi. Ama işgal günü İzmir'de olmak hepsi için oldukça tehlikeli olabilirdi. İşgal haberi şehirde söylenti olarak bile yayılır yayılmaz, fanatik milliyetçi Rum gençleri sağa sola sataşmaya başlamışlardı. Yunan askerleri geldiğinde bunların ne yapabileceğini düşünemiyordu bile. Ayrıca, burada kalırsa silahlı mücadeleye katılma imkanı da ortadan kalkacaktı. Bu belirsizlikte yaşamaktansa memleketin selameti için silaha sarılmak verilebilecek en doğru karardı. Ordudan ayrılan eski subayların muhtelif yerlerde kurduğu çeteleler vardı. Bandırmada eski bir Teşkilat-ı Mahsusacı Ethem Bey'den bahsediliyordu. Ayvalık dolaylarında işgale şiddetle karşı çıkan Yarbay Ali Çetinkaya'ya da katılabilirdi. "Hayırlısıyla Manisa'ya kadar gidelim

---

16 Cevizoğlu, Hulki, " İşgal ve Direniş", Cevizkabuğu Yayınları, Ankara 2007, s-11

de", diye düşündü. Asıl mesele, bu kararını annesine nasıl söyleyecekti? Kocasından sonra oğlunu da kaybetmeye yüreği dayanabilecek miydi? Dayanmalıydı. Çünkü, zaman annenin dizinin dibinde oturma zamanı değildi. Zaman, silaha sarılıp vatanın istiklali için savaşma zamanıydı.

Merdivenlerden yavaşça mutfağa doğru indi. Sofranın başına diz çöküp bağdaş kurarak oturdu. Saliha, bazlamaları getirdi ve dumanı tüten çorba çanağının dört bir yanına düzgünce dağıttı. Dede Hüsrev Efendi sol tarafı felçli olduğundan, lokmaları ağzının sağ tarfıyla çiğneyebiliyordu. Bazen, kaşık ağzından kayınca yediği yemek boynuna, kızının taktığı kar beyazı peçeteden aşağı doğru akıyordu. Hayriye Hanım hiç üşenmeden hemen yerinden kalkıyor, babasının boynundaki peçeteyle çenesine dökülen yemek artıklarını siliyor ve temiz bir tanesini babasının boynuna tekrar takıyordu. Salih, bu şefkatli manzarayı hemen hemen her akşam görmesine rağmen, duygulanmıştı.

"- Yeyiversene be evladım, çorbanı soğuttun", dedi Hayriye Hanım, oğlunu dalgın ve durgun görünce.

"- Anne", dedi Salih "Ben size önemli bişecik deyivericem". Saliha da oturmuştu sofraya. Kardeşinin yüzüne dikkatlice baktı.

"- Yarın, Yunan askerleri İzmir Limanına çıkıverecekmiş. Şehirdeki Rumlar çılgına dönüverdiler, biliyon mu?"

"- Bilmem mi guzum", dedi annesi.

"- Türkler, çarşıda birçok dükkanı bu gün kapatıvermişlerdi. Bazı Rum çocukları, çarşıdaki bazı dükkanlara taş atıp, camlarını kırıveriyorlardı. Dükkanlarına Yunan bayrağı asanlara bişeycik yapmıyorlardı. Dün gece Rum gençler bazı evleri işaretleyivermişler diyorlar. Ah be çocuğum ne yapıvericeğiz bilemeyom ki? De bakalım şinci ne deyivericen guzum".

"- Anne, ben yarin sabah arkideşlerle birlikte Manisa'ya gidiverceğiz. Kuvvacılara katılıvericeğiz." Saliha'nın kaşık elinden tepsinin ortasına düştü. Hayriye Hanım, elindeki peçeteyle Hüsrev Bey'in çenesini siliyordu. Peçeteyi tepsinin kenarına düzgünce koydu, yenisini babasının boynuna itinayla tekrar taktı. Yirmi iki yıl önce kocası Halit de bir akşam üstü sofrada söylemişti savaşa gidiş haberini.

"- Hayriye, ben yarın orduya katılıvericem, Yunan cephesine asker alıverceklermiş", diye pat diye söylemişti.

Bir buçuk yaşında bir kız çocuğu ve üç aylık hamile haliyle içine akıtmıştı gözyaşlarını. Her gece dua etmişti çocuklarının babasının sağ salim dönmesi için, ama bir türlü dönmemişti Halit. Salih'in bu çıkışının anlamını çok iyi biliyordu. O da dönmeyecekti. Gözlerinden yaşlar süzülmeye başladı. Hızla sofradan kalktı, mutfaktan dışarı çıktı. Yürüyemiyordu, başı döndü, nefesi kesildi, gözleri karardı. Daha fazla ilerleyemedi, sahanlığın ortasındaki ağaç dikmeye yaslandı. Başındaki eşarbın bir ucunu yumak yaparak dişleriyle sımsıkı sıkmaya başladı, diğer ucuylada sicim gibi dökülen göz yaşlarını silmeye çalışıyordu anlamsızca.

" -Allahım, ne büyük bir acı" diye düşündü. Hıçkırıklar boğazına düğüm düğüm dayanıyor, zorlukla yutkunuyordu. Ortalıkta tam bir sesizlik vardı. Sanki gizli bir el tüm zamanı durdurmuş, herşey donmuş kalmıştı. Çok zeki bir kadındı, her şeyi kavrayabiliyordu. Bu günden sonra hiçbir şey eskisi gibi olmayacaktı artık. Kan akacaktı. Kocasının, oğlunun, kızının, komşusunun, Türklerin, Rumların, Yunanlıların, bu topraklarda yaşayan herkesin oluk oluk kanı akacaktı. Ama çaresizdi. Olacakla öleceğe çare olmaz, derdi hep babası. İnsanların bencilliği, hırsı ve öfkesi kendilerine zarar verir ama milletlerin benciliği kini, hırsı ve öfkesi hem kendi milletlerine hem de diğer milletlere zarar verir diye düşündü. Beyni, çok hızlı çalışıyordu sanki. Salih'in gitmesine engel olmayı düşündü. Ama biliyordu, inadını ve kararlılığını Halit'ten almıştı, kesinlikle dinlemezdi. Ayrıca da İzmir'de kalması da güvenli değildi. İşgalcilerin ne yapacağı belli olmazdı. Eli silah tutan tüm Türk erkeklerini sürgün edebilir veya öldürebilirlerdi. Kuvvacılara katılırsa isyan edecek, Padişah Efendimize karşı baş kaldırmış olacaktı. Biricik oğlu kaderini kendi çizmeye başlamıştı artık.

"- Ah! Halit Bey Ah! oğlumuz büyüdü, vatanı kurtarmak için silaha sarılıvermiş, dağa çıkıveriyor. Sen olsan ne deyiverirdin?".

Göz yaşlarını iyice sildi. Arkasını döndüğünde, Salih, tam karşısında duruyordu. Oğlunu bağrına sıkıca bastı, öptü, öptü kokladı.

"- Git guzum, gidiveceksen sana nasıl kal deyiveririm? Bizim için hiç tasalanma. Deden, bacın, ben senin sağ salim dönüvermen için her daim dua edeceğiz. Yolun açık oluversin". Saliha da koşarak gelip kardeşine sımsıkı sarıldı.

Salih, onun için sadece bir kardeş değil, hayatındaki en yakın dostu, sırdaşı, arkadaşı, can yoldaşıydı. Kendisini istemeye gelen delikanlıları hep Salih'le karşılaştırmış, onun ayarında olmadıklarından bu taliplilerini geri çevirmişti.

Uzaktan uzağa aşağı Rum mahallesinden bir delikanlının kendisini beğendiğini duymuştu, ama hiç oralı olmamıştı. Bir keresinde, köşe başındaki zerzavatçıda karşılaşmıştı. Renkli gözlü, uzun ince yapılı, çapkın bakışlı hoş bir oğlandı. Ama yine de hiç oralı olmadan, başını önüne eğerek dükkandan çıkmış, uzun süre arkasından geldiğini bildiği halde hiç arkasına bakmamıştı. Bunları Salih'e anlattığında,

"- Bildim" demişti ,

"- Valilikte çalışan Aleksondoros'uğlu Hristo Kalimaki. Aşağı mahallede hakkında çok güzel şeyler işitmiştim. Ama olamayacak duaya amin deyivermemek lazım", diyerek ablasının gelecekle ilgili umutlanmamasını istemişti.

Rum ve Türk ahali arasında kız alışverişi pek alışılagelmiş bir olay değildi. Din ve milliyet farkı derin bir uçurum yaratıyordu bu iki komşu arasında. Zaman zaman bu yasaklar delinir, Rum kızları veya delikanlılarıyla Türkler gizlice evlenirlerdi. Osmanlı geleneğine göre bir Rum kızıyla evlenmek, eğer onu Türk olmasını sağlar ve ismini de değiştirebilirse mübahtı. Fanatik milliyetçi Rumlar bu nedenle bir Rum kızıyla, Türk delikanlısının evlenmesine hiç sıcak bakmıyorlar, aileleri dahi herkesi tabiri caizse aforoz ediyorlardı. Bazen de bunu propaganda olarak kulanıyorlardı. "Türkler kızlarımızı alıyor zorla dinini ve ismini değiştiriyor", diye. Oysa temelinde insan sevgisi, aşk olan bu güzel beraberliğin her iki millete getireceği tek şey vardı: "Kardeşlik ve akrabalık".

Saliha, kardeşinin ellerini öptü.

"- Bizi habersiz bırakma olur mu güzel gardaşım, Gelenle gidenle her kim olursa küçük bir haber yolla, sağ salim olduğunu bilelim o bize yeter", dedi.

Hayriye Hanım işe koyulmuştu hemen. Yüklükten çıkardığı eski bir torbaya, küçük küçük torbalara ekmek, peynir, kuru üzüm, pestil, biraz ceviz, eline geçirebildiği her yiyeceği sarıp sarmalayıp yerleştiriyordu. Saliha da başka bir elden temiz çamaşır, içlik, yün çorap katlıyordu.

Salih, sesizce dedesinin yanına gidip ellerini öptü. Hüsrev Efendi, önünde duran dal gibi delikanlı torununa, ağlamaktan kızarmış gözleriyle şefkatle baktı.

"- Muvaffak ol oğul, tez gelesin"

III. BÖLÜM

"Uyan Türk oğlu, uyan"

İzmir, sanki farklı bir sabaha uyanıyordu. Kordonboyu, Pasaport, Konak Liman iskelesi sabahın erken saatlerinden itibaren yerli Rum Ahali tarafından hıncahınç doldurulmuş, sahildeki bütün evler ve dükkanlar mavi beyaz Yunan bayraklarıyla donatılmıştı.

İzmir halkı, çok erken saatlerde dağıtılmış ve duvarlara yapıştırılan, Tümen Komutanı Albay Zafiriu'nun aşağıda özetlenen beyannamesini okuyordu.[17]

"Müttefiklerin muvafakatı ile hareket eden Yunan Hükümeti'nden aldığım emir gereğince, İzmir ve civarının askeri işgaline başlıyorum. İşgalden maksat, mevcut kanunların hüsnü muhafazası ve himayesi suretiyle, bütün ahalinin refahını emniyet altına almaktır.

Bununla beraber, 400 seneden beri Yunanistan'a çeşit çeşit sebeplerden dolayı bağlı bulunan şu topraklar hakkında, devletlerin görüşerek bir karara varmasını bekleriz. Bu karardan önce herhangi bir iddia ve icraatımız olmayacaktır.

---

17 Gen.Kur.ATASE Arşivi No. 1/220 Dlp.11, G12, Kls.996, Dos.24, F.65

Eskisi gibi vazifelerine devam edecek olan sivil devlet daireleri memurları ile din adamları, bu vazifelerini yaparken, kolaylık ve asayişi sağlamak bakımından, her an için Yunan askeri kuvvetlerinin yardımını isteyebilirler.

Askerin kendisiyle temasta bulunacaklara, dini inanış adap ve geleneklere saygılı bulunacağına herkes emin olsun. Komutanlığın kapısı, herkesin müracaat ve şikayetine açıktır. Herkesin, sükunetle, iş ve gücü ile meşgul olarak güzel vatanları hakkında devletlerin görüşüp verecekleri karara güvenle intizar eylemelerini, din ve cinsiyet gözetmeksizin bütün halka tavsiye ederim."

İki küçük savaş gemisi süratle limana gelip demirledi. Bir Yunan teğmenin komutasında yaklaşık 40 kadar silahlı asker, limana çıkarak Yunan birliklerinin işgalini kolaylaştırmak ve emniyeti sağlamak maksadıyla asıl işgal kuvvetlerinden önce tertip alıyorlardı. Bu manzara bile toplanan kalabalığın dalgalanmasına, heyecanlanmasına, "zito" sesleriyle slogan atılmasına yetmişti. Yunan Silahlı Koruma müfrezeleri, başlarındaki Teğmenin sert komutlarıyla önceden belirlenmiş noktalarda süratle yerlerini alıyorlardı. Teğmenin, gösteriye kaçan ve halkı coşturan tavırları, kalabalığın ön saflarında buluna Rum delikanlılarını çılgına çevirmişti. Teğmen, çıkarma yapan birliği karşılamak için kalabalığın en önünde sağında ve solunda mahalli kıyafetleriyle ellerinde gül buketleriyle genç kızlarla birlikte dikilen Metropolit Hristostomos'un önüne gelerek saygıyla elini öptü. Metropolit de bu heyecanlı subayın başını okşayarak takdis etti. Teğmen, saygıyla metropolitin yanından ayrılarak kendisine ayrılan yerde yerini aldı.

Hristo, annesi ve kızkardeşi ile sabahın erken saatinde saat kulesine yakın limanı görebilecekleri bir yerde yerlerini almışlar ve bu tarihi ana tanık olmanın heyecanını yaşıyorlardı. Eleni, incilden dualar okuyor, Samira, ayak ucuna basarak limana inen Yunan askerlerini görmeye çalışıyor, Hristo ise çevrede bulunan Rum arkadaşlarına sevinçle takılarak şakalaşıyordu.

Aleksandros, sabah altıda, sessizce evden ayrılmış, yürüyerek valilikteki çalışma ofisine gelmişti. Gece de doğru dürüst uyuyamamıştı zaten. Ofisinden körfez ve liman bölgesi, palmiye ağaçlarının arkasından oldukça açık gözüküyordu. İngiliz ve Yunan savaş gemileri, sabah alacakaranlığında doğan güneşle nehirde yüzen timsahlar gibi hareketsizce doğan günü selamlıyorlardı. Kendisi dışında valiliğe diğer gayrimüslüler gelmemişti, geleceklerini de düşünmüyordu. Türklerden gelenler de sessizce odalarında oturuyorlardı. Masadaki çekmecesini açtı, üç ay önce bıraktığı tütün tabakasını özenle çıkardı. Gözlerini limandan ayırmadan keyfini çıkartarak tütünü koyduğu kağıdı yavaş yavaş sardı. Dudaklarıyla ince pelur kağıdı ıslatırken, dışarıdan Vali Kambur İzzet Bey'in öksürüklü kalın sesini duydu. Belliki onun gibi zor bir gece geçirmişti. Sarmayı tabakasına bırakarak, her zaman olduğu gibi Vali Bey'in makam odası kapısını saygıyla açtı ve içeri girmesini bekledi.

" Aleksi, siz burada mısınız" dedi İzzet Bey.

" Diğer Rum memurlar gibi karşılamaya gitmenizi umuyordum, beni şaşırttınız!..."

"Benim için önce vazife gelir Vali Paşam, ayrıca ortada kutlamaya değer bir olay da göremiyorum" dedi.

"Madem geldiniz, Kolordu Komutanı Ali Nadir Paşa'ya bir telgraf yazalım, not defterinizi alıp gelir misiniz". "Derhal Vali Paşam" diyerek odasından kalem ve not defterini alıp geldi.

"Ali Nadir Paşa Hazretlerine, İzmir Müstahkem Mevki Komutanı. Mütarekenin ilgili maddeleri gereği bu gün başlayacak Yunan Kuvvetleri işgali nedeniyle, herhangi bir müteesir olaya meydan vermemek için, subayların ve eratın ikinci bir emre kadar kışla dışına çıkmamaları konusundaki 14 Mayıs 1919 tarihli talimatımızın titizlikle uygulanmasını, işgal esnasında kesinlikle mukavemet edilmemesi, işgal kuvvetlerine her türlü kolaylık sağlanmasını rica ederim".

Çıkarma kafilesi 15 Mayıs 1919 günü saat 02.00'de, Midilli'nin Yero limanından hareket ederek, saat 07.30'da İzmir önlerine gelmiş ve tümen birlikleri, saat 08.40'ta, plan gereğince karaya çıkmaya başlamışlardı. Gemilerin, gürültüyle çalışan eski dizel motorları coşkulu kalabalığın seslerinin arasında kayboluyordu. İşgal kuvvetlerine, Yunan bayraklarıyla gelin gibi süslenmiş Rum balıkçı tekneleri eşlik ediyorlardı.

Metropolit Hristostomos, gözleri yaşlı, sürekli dua ediyordu. On binlerce yerli Rum, çıkan askerleri çoşkuyla karşılıyor, ellerindeki Yunan bayraklarını sallıyor, çiçekler, alkışlar ve "Zito" sesleri arasında Yunan askerlerini selamlıyorlardı.

Evzon Alayı'nın ilk çıkan Taburu, önde sancaktarlarıyla birlikte düzgün adımlarla Metropolit Hristostomos'un önüne gelerek durdular. Metropolit büyük bir saygıyla, mavi beyaz sancağı sol eliyle öptü ve kutsadı. Önden başlayarak askerlerin üzerlerine okunmuş tuz serperek taktis ederek çıkan taburu kutsadı. Milli kıyafetli Rum kızları ellerindeki çiçekleri Alay Komutanına saygıyla vererek geri çekildiler. Metropolit sağ elini havaya kaldırarak arkasındaki coşkulu kalabalığı sakinleştirdikten sonra askerlere; "Asker evlatlarım, Elen çocukları! Bugün ecdat topraklarımızı yeniden fethetmekle, İsa'nın en büyük mucizesini göstermiş oluyorsunuz. Bu uğurda ne kadar Türk kanı döküp içerseniz o kadar sevap işlemiş olacaksınız. Ben de bir bardak Türk kanı içmekle onlara karşı kin ve nefretimi teskin etmiş olacağım. Haydi buyrun, bütün azizler sizin arkanızda olacak. Atalarınızın toprakları sizleri bekliyor."[18] dedi ve ellerini bir-

---

18 Cevizoğlu, Hulki, "İşgal ve Direniş", Cevizkabuğu Yayınları, Ankara 2007, s.30

leştirerek dua etmeye başladı. Tüm askerler metropolitin bu duasına sessizce katıldılar.

İzmir, tarihi bir an yaşıyordu. Yaşlısı, genci, kadını, çocuğu tüm Rumlar sevinçten ağlıyordu. Yüzlerce yıllık hasret, ülkü, amaç, ideal, rüyalarını süsleyen bu sevda altın tepsiyle sunulmuştu. Korkuları, milliyetçi Türklerin bu işgali zora sokacak tepkileri ve çıkaracakları kargaşaydı. Ama önemli değildi, muzaffer Helen ordusu karaya ayak basmıştı artık.

Kordon boyunda yapılan dini törenden sonra Alay Komutanı ve Sancağı, bu sancaktan daha büyük çapta bir Yunan bayrağı olduğu halde, yürüyüş kolu kordon boyunca Hükümet Konağı-Kışla-Güzelyalı istikametinde, Türk mahalleleri içinden Karantina'ya doğru yürüyüşe geçti. Büyük bir uğultu ve sevinç gösterisi başlamıştı. Kalabalığın içinde Rum gençleri, kızları yürüyen askerlere sarılıyor öpüyor, yaşlılar dua ediyorlardı. Yerli Rumlar kitleler halinde, Yunan yürüyüş kolunun her iki tarafını sarmış vaziyette gidiyorlardı.

Kışla önünde, otuz yaşlarında orta boylu oldukça yakışıklı bir Türk genci kendisine doğru gelen Yunan kıt'alarına doğru bakıyordu. Etrafı gürültücü ve elleri silahlı yerli Rumlar tarafından çevrilmiş bir halde ilerleyen yürüyüş kolunun baş tarafı Kışla hizasını geçip tramvay yoluna saptıktan sonra, bu delikanlı kemerine taktığı tabancayı çıkarttı, "Uyan Türk oğlu, uyan" diye bağırarak kendisine yaklaşmakta olan askerlere ateş etti. Bu gencin sol arka çaprazında, ince bıyıklı, uzun boylu başka bir Türk genci, sokağın başına çömelerek öndeki sancaktarlara doğru 3-5 el ateş ettikten sonra, arkasını dönüp mahalle arasında kayboldu. Yunan kıt'ası önünde yürüyen uzun boylu Yunan sancaktarı sendeleyerek olduğu yere yığıldı. Evzon Taburu askerleri, önceden beklediği ama sonradan yapılan bu mukavemet karşısında şaşkına dönerek, panik içinde evvela geldiği istikamette kaçmaya başladılar. İlk ateş eden genç Türk, Yunan askerlerinin ilk ateşiyle vurularak saat kulesinin yanında dizlerinin üzerine düşmüştü. Yunan askerleri, etraftan başka mukavemet olmadığını görünce yerlerinden fırlayayıp, yaralı Türk gencinin yanına gelerek fişekliklerindeki tüm mermileri üzerine boşaltmaya başladılar. Çevrede bulunan silahlı Rumlar da artık çoktan ölmüş olan genci tekmeliyor, süngülüyor ve ona tükürüyorlardı.

Gösteri bitmişti ve savaş başlamıştı. İlk kurşun atılmış, ilk kan akmıştı. Akıl ve mantığın yerini, zaten var olan kin, nefret, intikam almıştı. Bendini yıkan bir barajın suları gibi, Rum ve Yunan askerlerindeki nefreti Türklere doğru debisi artan bir hızla akacaktı ve bunu durduracak hiçbir güç yoktu artık.

Kısa bir kargaşalığın ardından, Tümen Komutanı Albay Zafiriu, Evzon Taburu askerlerine, "Herhangi bir direnişe meydan vermemek için tüm, Türk subaylarının ve yetkililerinin tutuklanmasını, Pasaport iskelesine yanaştırılan Patris vapurunun ambarına kapatılmasını" emretti. Evzon Alayı'nın 2. Taburu kışlanın karşısında mevzilendi. Kışla pencerelerinden defalarca "mukavemet edilmeyeceğine dair işaretler" verilmesine rağmen dakikalarca binayı ateş altına aldılar.

Kolordu Komutanı Ali Nadir Paşa, emir subayını çağırarak teslimiyet için bir beyaz bayrak hazırlamasını istedi. Birazdan, elinde beyaz bayrak ile merdivenlerin başında gözüktü. Teğmen Yorgo komutasındaki müfreze, saf düzenine geçerek silahlarını Kolordu Komutanı ve subaylara nişan vaziyeti aldılar. Elleri tetikte, gözleri nişan vaziyetinde, verilecek en ufak bir ateş emire pür dikkat kesilmişlerdi. Teğmen Yorgo, muzaffer ve alaycı bir tavırla karşısında duran Osmanlı Paşası ve kurmay heyetine bakıyordu. Sağ elinde, mezun olduğunda amcası tarafından hediye edilen italyan revolveri her an ateşe hazır vaziyette, sol elinde güneşte pırıl pırıl parlayan kılıcın kabzesi vardı. Sol bacağının üzerine hafifçe yaslanarak anın keyfini çıkartıyordu. Kısa adımlarla Ali Nadir Paşanın yanına sokuldu. Elindeki tabacasını düzgünce kılıfına soktuktan sonra, sol eliyle paşanın elinden beyaz bayrağı aldı ve yere attı, sağ eliylede olanca gücüyle paşanın sol yanağına bir tokat indirdi. Gülmeye başladı. İçinde yılların esaretinin, köleliğinin dışa vurumu gibi bir patlama, aşağılanma, hakaret yumağı vardı. Çocukluklarından beri korkuttukları, nefret ettirdikleri Türklerin paşalarından biri karşısında duruyordu ve oldukça çaresizdi. Bu tarihi an, her Yunan gencine nasip olabilir miydi? Attığı tokat elini acıtmıştı ama zevki de o derece güzeldi. İkinci, üçüncü kez Ali Nadir Paşa'nın yüzünde patlayan tokatlar, Yunan milletinin, Türk milletine tarih boyunca atmak isteyip de atamadığı tokatı temsil ediyordu sanki. Paşanın kurmayları, tokatlarla sendeleyen Ali Nadir Paşa'nın kollarına girerek ayakta tutmaya çalıştılar.

Ali Nadir Paşa, Yunan askerleri önünde Pasaport istikametine doğru giderken, Teğmen Yorgo kışlada bulunan diğer odalara kapıları kırarak girmeye, içeride karşılaştığı subayları tartaklayarak tutuklamaya başladı. Subaylardan bir kısmı, Reddi İlhak cemiyetinin silahlı mücadele kararına uyarak birkaç gün önceden Ödemiş, Salihli, Demirci istikametine doğru yola çıkmışlardı. Bir kısmı, sivil elbise giyerek, işgal kuvvetlerini karşılamaya gelen sivil halkın arasına karışmışlardı. Bir kısmı da, odalarında makus talihlerine razı bir şekilde bekliyorlardı. Yunan askerlerinin girdiği odalarda, buldukları subay ve memurları, dipçik darbeleriyle dışarı çıkartıyorlar, tekmeliyorlar, tokatlıyorlar, tükürüyorlar, karşı koyan veya direnen olursa da süngüleyerek derhal infaz ediyorlardı.

Yunan askerlerinin en büyük zevki de, kendilerine bu tarihi anı yaşatan Başvekilleri Venizelos'a şükranlarını göstermek için, Başvekilin ismini, Türk subaylarına ve memurlarına bağıra bağıra söyletmeleri ve manevi şahsiyetine selam durdurmalarıydı. "Zito

Venizelos, Zito Venizelos!... ". Tartakladıkları her subayı ve memuru buna zorluyorlar, defalarca tekrarlatıyorlar, direnenleri süngüyle delik deşik ediyorlardı. Kolordu Komutanı ve kışladaki bütün komutan ve subayları, kışladan Pasaport iskelesinin arasında toplanan Rum ahalinin arasından, en ağır hakaretlerle, esir kafilesi halinde, Kordon boyunca yürüterek, Pasaport iskelesine Evzon Taburu'ndan boşalan Patris vapuruna, ambara kapatılmak üzere götürüyorlardı. Ali Nadir Paşa çevresine bakmadan, başı önde, ağır ağır yürüyordu. Toplanan Rum ahali, önlerinden geçen Kolordu Komutanı ve subaylara, küfrediyor, tükürüyor, silahların dipçikleriyle vuruyorlardı. Kalabalığın arasına karışmış Türkler ve sivil elbiseli subaylar göz yaşlarını tutamıyorlardı.

Grubun arkasında, dipçik darbeleriyle zorlukla yürüyen Kolordu Karargah subaylarından Albay Süleyman Fethi Bey, sendeleyek düştü. Kışlanın kapısından henüz çıkmışlardı. Albayın arkasındaki asker, süngünün ucuyla yerdeki Süleyman Fethi Bey'i dürterek, "hemen kalkmasını, eliyle Venizelos'a selam vermesini ve Zito Venizelos diye bağırmasını" tekrarlıyordu. Mağrur Albay, zorlukla doğruldu, " Bir Türk Subayı, ancak milletinin büyüklerine saygı için ellerini kaldırır ve ağzını açar", yanıtını verdi.[19] Albay Süleyman Fethi Bey'in bu son sözleri, yerli Rum tercüman tarafından çevrilir çevrilmez, Yunan askeri teredüt etmeden süngüsünü albayın göğsüne sapladı. Dökülen kan kokusu, Yunan askerini mutlu etmişti. O hırsla, süngüsünü birkaç kere daha albayın göğsüne sapladıktan sonra hızlı adımlarla öndeki gruba yetişmek için uzaklaştı.

Artık kan akmaya başlamıştı ve kısa zamanda bu kan duracak gibi değildi. Yüzyıllardır beslenen kin, nefret, öfke, çirkin yüzlerini bu iki komşu millet arasında acımasızca gösteriyordu. Düşündürücü

---

19 Cevizoğlu, Hulki, a.g.e., s.48

olan da; barış, kardeşlik, insanlık gibi kavramların ön plana çıkarması gerek din adamları, kendi dinlerinin bile günah saydığı kin, nefret, öfke, kibir gibi duyguları körüklüyor, bu duygularla beslenen fanatik düşünceler, insanlıklarını unutarak kendilerinden olmayanlara fütursuzca saldırıyorlardı.

Vali İzzet Bey Hükümet Konağındaki makam odasının penceresinden kargaşayı, bağrış, çağrışı, olanı, biteni büyük bir endişeyle izliyordu. Bu kargaşalık içerisinde, halkın arasından götürülen Kolordu Komutanı ve subayları görünce, "kendisinin Vali olarak dokunulmazlığı olduğu, kimsenin bir şey yapamayacağını", düşünerek teselli buluyordu. Makam odası kapısı hızla açıldı ve içeriye oğlu Seyfi girdi. Korkunç bir kabus yaşıyorcasına nefes nefese kalmış, terden sırılsıklam, kesik kesik öksürüyordu. Oğlunun bu hali, Vali beyi oldukça endişelendirdi. Hemen odacıdan bir bardak su istedi ve çocuğu rahat bir iskemleye oturttu. Çocuk biraz sakinleşince gördüklerini anlatmaya başladı. Sabah Vali Konağından çıkmış, yürüyerek Konak iskelesine gelmişti. Toplanan kalabalığı ve gemileri görünce, merak ederek olacakları izlemeye başlamıştı. Yunan askerlerinin limana çıkışını ve yerli Rumların çılgınca sevinç gösterilerine tanık olmuştu. Yunan askerleri kışla istikametine doğru giderken, saat kulesinin yanında isminin Hasan Tahsin[20] olduğunu öğrendiği bir gaztecinin silahını çekerek yürüyen Rum askerlerine doğru bağırarak ateş ettiğini, bu esnada sokağın başında başka birinin çökerek Yunan sancaktarlarına dört-beş el ateş ettiğini, sancaktarın düştüğünü, Hasan Tahsin'in Yunan askerleri ve Rum ahali tarafından linç edildiğini, diğer ateş edenin bu kargaşalıktran faydalanarak kaçtığını, çılgına dönen Rumların önlerine çıkan Türk'ü dövüp hakaret ettiklerini hatta tespit ettikler sivil elbiseli Türk subaylarını süngüleyerek öldürdüklerini, Müfrezelerin Kolordu Kışlasını

---

ateş altına aldığını, içeriye girip Komutan ve subayları dışarıya çıkartarak Pasaport iskelesine doğru götürdüklerini, kendi canını zor kurtardığını bir solukta anlattı.

İzzet Bey, olayın pencereden gördüğünden daha vahim olduğunu anlamıştı. Odanın dışında koşuşturan ayak sesleri ve Rumca bağrışmalar artmaya başlamıştı. Kapı tekrar hızla açıldı. İçeriye, başlarında eli tabancalı bir Yunan subayı ile tüfekleri süngülü bir manga asker girdiler. Tüfekleri Vali Bey'e doğrultarak nişan vaziyeti aldılar hemen. Teğmen, elindeki bir kağıttan Yunanca, işgal kuvveti tarafından kendi emniyeti için tevkif edildiğini okuyordu. Zorluk çıkarmadan kendileriyle birlikte gelmesini emrediyordu. Vali İzzet Bey, makamına karşı böyle davranılmaması gerektiğini, hakları olduğundan bahsetse de, sağ ve soluna giren iki Yunan askerinin refakatinde sürüklenerek dışarı çıkartıldı. Diğer bir asker de, korkudan bembeyaz olmuş oğlu Seyfi'yi getiriyordu. Vali İzzet Bey, Pasaport İskelesinde demirlemiş Patris vapuruna götürülürken sık sık oğluna dönüyor "Seyfi oğlum, zito bağır, zito bağır".

Aleksandros, olan biteni Hükümet Konağında bulunan ofisinin penceresinden izliyordu. Efroz Alayının limana çıkışı, metropolit tarafından takdis edilip kışla yönünde yürüyüşe geçtikleri, sancak taşıyan Yunan askerinin Türkler tarafından vurulması olayına kadar çok sakindi. Ancak korktuğu başına gelmeyecek, kan dökülmeyecekti. En azından bu işgal, Türklerin insanlık onurlarıyla oynanmadığı sürece, yüzyıllardır kökleşen derin komşuluk ilişkileri yara almayacaktı. Aleksandros'a göre; bu işgal tamamen İngiliz menfaatlerine hizmet ediyordu. Ancak fanatik ENOSİS taraftarlarının da iştahını kabartmış, ana vatanda zor durumda olan Başvekil Venizelos' un pożisyonunu güçlendirmişti. Günlerce bu işgal planları yapılmış, hatta ana vatandan göç edecek gönüllü aileler bile belirlenmişti. Ege bölgesinin ahalisini doğuya göç etmeye zorlayarak, buraları kısa sürede Yunan ahaliyle değiştirerek, nüfüs yoğunluğunu Yunan lehinde artırarak uluslararası platformda elini güçlendirmek ve bu bölgede kalıcı olmayı hedeflemişlerdi. Aleksandros, Türkleri tanıdığı kadarıyla, bu olup bittiye asla müsaade etmeyeceklerini biliyordu. Zaman zaman Redd-i İlhak cemiyetinin raporları Valiliğe geldiğinde okuma fırsatı buluyordu. Köy, kasaba ve şehirlerde terhis edilmiş askerler ve subaylar, Merkezi Osmanlı ordusundan ayrı olmak üzere, Kuvayı Milliye adı altında bağımsız bir direniş teşkilatı ve kuvveti kuruyorlardı. Ülkenin birçok yerinde de Müdafayı Hukuk teşkilatları adı altında mahalli direniş örgütlerinin varlığını da biliyordu. Bu teşkilatların başında, uzun yıllar cephelerde kalmış, savaş tecrübesi olan subaylar vardı. Yunan işgalinin ilerleyen zamanlarında ciddi bir direnişle karşılaşacağını tahmin ediyordu. Bu teşkilatların hiç hafife alınır yanı yoktu. En büyük korkusu da, Yunanistan'da ordu içine sızmış ve işgal kuvvetiye Anadolu'ya gelen katil, hırsız, yağmacı, çapulcu[21] takımlarının, verimli Batı Anadolu topraklarını yağmalamak için, köyler ve kasabalardaki Türk ahaliye yönelik yapacakları, katliamlar ve tecavüzler, ileride önü alınamayacak, yıllarca sürebilecek bir kan davası başlatabilirdi.

Korktuğu olay, gözlerinin önünde cereyan etmeye başlamıştı. Önce saat kulesinin yanında bir Türk genci, sonra da sokağın başında başka bir Türk genci Kışlaya doğru ilerlemekte olan Yunan askerlerine ateş ediyor ve Yunan sancağını taşıyan asker kanlar içinde yere yığılıyordu. "Aman Tanrım!", dedi kendi kendine. "Sanırım fitil ateşlendi. Ama patlayacak bu bomba ne Yunan milletine ne de Rum ahaliye hayırlı olacak", diye düşündü ve dua etmeye başladı. Ama nafile duaya amin diyordu. Çılgına dönen Yunan ve Rumlar hedef gözetmeksizin ateş ediyorlar, tartaklıyorlar ve öldürüyorlardı.

---

21 Bunlar, özellikle ekonomik bunalım sonucu Yunanistan'da son zamanlarda iyice artmışlardı

Vali İzzet Bey'in odasından yüksek sesle Rumca ve Türkçe sesler, konuşmalar geliyordu. Ofisinin kapısını açtığında, Yunan askerleri arasında yıllarca hizmet ettiği makamın sahibini, adi bir tutuklu gibi ite kalka dışarıya doğru götürülürken gördü. İşgal amacını aşmış, insanlık onuruyla oynanan zararlı bir oyun haline gelmişti. Yunan ve Türk milletini yakından tanıyordu. Onursuzca yaşamanın ölüme eşit gören bu iki millet, sınırlarını zorlarcasına biri diğerini yıpratıyordu. Ona göre, Türklerin onurunu sınamanın ne yeri ve ne de zamanıydı şimdi.

Şapkasını[22] aldı ve Valiyi götüren müfrezeye yetişmek için koşmaya başladı. Fanatik Rum milliyetçiler, diğer subaylara yaptıkları gibi, Vali İzzet Bey'e de, önlerinden geçerken olmadık hakaretler ediyor, tükürüyorlardı. Bir ara yol kenarında olayları endişeli gözlerle izleyen ailesi, Eleni, Hristo ve Samira ile göz göze gelir gibi oldu ama zaman onlarla sohbet etme zamanı değildi, bir an evvel Osmanlı Valisini bu hayasız işkenceden, muameleden kurtarmalıydı. Hem koşuyor, hem de öndeki müfreze komutanı subaya Rumca sesleniyordu, "Komutan Bey, bir dakika, bir maruzatım vardır, yanlış bir şey yapıyorsunuz... Lütfen dinleyin!" .

Pasaport iskelesine yaklaşmışlardı. İskelede demirli, belliki pis işlerde de kullanılmış, bakımsız, oldukça köhne, yaklaştıkça ağır bir hayvan dışkısı kokusu yayan bir gemiye, Yunan askerleri yakaladıkları Türk asker ve memurlarını dipçik darbeleriyle sokuyorlardı. Aleksandros, hiç duraksamadan müfreze komutanı subaya sesleniyordu. Nihayet ısrarlı seslenişlerden bıkan subay sert bir şekilde Aleksandros'a dönerek, "Ne bağırıyorsun deminden beri yoksa Vali Bey'den alacağın mı var be adam!" diye, etrafındaki askerler ve Rumlarla birlikte, büyük bir keyifle kahkahalarla gülmeye başladı-

---

22 Şapka, Rum ahaliyi Türklerden ayıran en önemli simgelerden biriydi.

lar. "Yok, yok. Size sadece bu belgeleri göstermek istiyorum. İşgal Komutanlığının emirlerine aykırı davranıyorsunuz", diyerek elindeki resmi yazıları subaya uzattı. Müfreze Komutanı, Aleksandros'un verdiği resmi yazıları dikkatlice okudu sonra askerlere dönerek, "Vali Bey'i bırakın, durup dururken başımız Kumandanla belaya girmesin", dedi. Aleksandros, büyük bir saygıyla, hemen bitkin haldeki Vali Bey'in koluna girerek kenarda bekleyen faytona bindirdi. Cebinden bir mecidiye çıkartarak, arabacıya, Vali Bey ve oğlunu konağa götürmesini ve hiçbir yerde hiçbir şekilde durmamasını sıkıca tembihledi.

Silah sesi o kadar yakından gelmişti ki, Hristo, annesi ve kızkardeşine sarılarak yere doğru çöktüler. Ne olduğunu anlayamamıştı. Kışla tarafından gelen orta boylu bir Türk, silahını çekmiş yürüyen askerlere doğru bağırarak ateş etmişti. Daha sonra birkaç el daha silah sesi duymuş, çevrede bulunan herkes sağa sola kaçışmış, yere çökmüş panik içinde sağa sola bakıyorlardı. Fısıltıları duyuyordu, "Türkler teşkilatlanmış, işgali önlemek için taarruza geçtiler". Ama görünürde ateş eden Türk'ten başka kimse yoktu. Yunan askerleri, kısa şoktan sonra toparlanıp ateş eden Türk'ün üzerine mermi yağdırmaya başladılar. Çevrede bulunan eli silahlı Rumlar da ateş ediyorlardı. Daha sonra vurdukları bu adamı, süngüleriyle de defalarca delik deşik ediyorlardı. Yüreğindeki sevinç duygusu birden korku ve dehşete dönüştü. Hristo, yaşamı boyunca ilk kez bir insanın bu kadar zalimce öldürüldüğünü görmüştü. Bütün dünyaya medeniyeti ile örnek olan Elenizm gerçekte bir canavar mıydı? Biraz ileride cansız yerde yatan Yunanlı sancaktar askere baktı, "Belkide hak etmişti bu Türk böyle ölmeyi", diye düşündü. "Ulusunun simgesini taşımaktan başka bir suçu olmayan bu gencecik askeri, bu kurtuluş gününde vurması da bu Türk'ü canavar yapmıyor muydu acaba?.."

IV. BÖLÜM

"söz konusu vatansa, gerisi teferruat"

Güneş henüz doğmamıştı. Sabaha karşı çıkan ayaz, Salih ve arkadaşlarını iliklerine kadar üşütmüştü. Koruluk oldukça sessizdi. Koruluğa ilk gelen Sabri olmuştu, sonra Eyüp, Salih ve Celal gelmişlerdi. Hiçbirinin ağzını bıçak açmıyordu. Kolay mıydı, ömürlerinin neredeyse tamamının geçtiği bu mahalleden, bu şehirden, ailelerinden, sevdiklerinden belki de hiç dönmemek üzere kopup gideceklerdi. Nereye gidecekleri, kime katılacakları meçhuldü. Akıllarındaki tek düşünce; bir an evvel silahlı mücadele edebilecekleri bir Kuvayı Milliye Teşkilatına katılmak, yaşadıkları bu güzel şehire çıkacak bütün Yunan askerlerini, hatta aylardır huzurlarını bozan Rum çete bozuntularını geldikleri gibi denize geri göndermekti. Günlerce, atacakları her adımı, gidecekleri her yeri konuşmuş, planlamışlardı.

Eyüp, içlerindeki en uzun boylu ve heyecanlı yapıya sahip bir Nazillili ailenin çocuğu idi. Annesi, rüyasında Eyüp Peygamberi gördüğü için doğduktan sonra ismini Eyüp koymuştu. Annesi onu doğururken ölmüştü. Sarıya kaçan kestane saçları, yemyeşil gözleri, uzun geniş omuzlarıyla genç kızların yüreğini hoplatırdı. Ama ayran gönüllü değildi. Aşağı Yazıcı Mahallesinden, deniz gözlü Samira isimili bir Rum kızına yanıktı. Zaman zaman, Rum mahallesine gider saatlerce Samira'nın oturduğu taş eve sokak başında bakar, eğer şanslı günündeyse birkaç dakika görürdü. "Bir gün, alıp kaçırıvercem bu Rum kızını ve evleneceğim, ismini Şerife yapıp, hiç görmediğim annemin ismini verivericem. Onun da gönlü var bende, biliyom", derdi arkadaşlarına. Hepsi alaylı alaylı saatlerce gülerlerdi, Eyüp'ün bu fantazisine. Ama bu işgal, tüm hayallerini elinden almıştı. Samira, kimbilir, hangi Yunan subayı veya askeriyle tanışacak, evlenecekti. Sessizce koruluktan denize doğru dalmış gitmişti.

Sabri, yaşıtlarına göre oldukça iri ve kilolu bir gençti. İri cüssesine rağmen, oldukça kibar, naif ve centilmendi. Elinden gelse karıncayı bile incitmezdi. Babası, İzmir'in tanınmış esnaflarından biriydi. Özellikle Rum ve Musevi ahaliye yakınlığı ile tanınırdı. Ticarette başarısını da buna borçlu olduğunu sık sık söylerdi. Yunan, işgalini sevinçle karşılamış, ticaretinin daha da geliştireceğini düşünerek çok mutlu olmuştu. Çünkü, gelecek askerlerin yeme, içme, barınma vb. gibi bir sürü ihtiyaçları olacaktı. Bir gün babasıyla bu konuda konuşmak istese de, "Sen padişah efendimizden daha mı iyi bileceksin, eğer zatı şahaneleri Yunan işgalini uygun görmüşse vardır bir hikmeti. Bir daha böyle densiz, eşkıya lakırdısı meselelerle beni meşgul etme. Bir an evvel abilerinle birlikte işi öğren, bana destek ol." diye azarlamıştı. Kuvayı Milliye'ye katılma kararını sadece annesine söylemiş, köklü bir Osmanlı terbiyesi almış olan annesi Mirluba Hanım, bu sabah oğlunu alnından öperek "Sen merak etme Sabrim, ben babana, Manisa'da dayınlara gittiğini deyiveririm", diyerek helalleşmiş ve yolculamıştı.

Celal, Hukuk-u Beşer Gazetesinde çalışıyordu. Günlerdir gazetede huzursuzdular. Özellikle birlikte çalıştığı, başyazar Osman

Nevres²³ ile sık sık bir araya gelir, çareler düşünür, ama bu işgali

---

23 Osman, 31 yıl önce 1304'de (1888) Selanik'de doğmuştu. Hasan Tahsin takma
   adını 1914'de Buxton kardeşleri vurmak için Romanya'ya gittiği sırada almış
   ve bir daha bırakmamacasına benimsemişti. Babasının adı Recep, annesinin adı
   Rabia idi. Rabia, Recep ağanın ikinci karısıydı. Osman Nevres'in bu evlilikden
   Binnaz ve Melek adlı iki kız kardeşi, babasının ilk evliliğinden ise Mehmet
   Recep adında bir ağabeyi vardı.
   Öğrenim çağına gelince, Mustafa Kemal'in de okuduğu Şemsi Efendi okulu-
   na gönderilmiş, daha sonra ise yine Selanik'deki Feyziye Mektebi'ne gitmişti.
   Mektebin müdürü daha sonraları İttihat Terakki'nin Maliye Nazırlığını yapacak
   olan Cavit Bey'di. Osman Nevres, zeka ve çalışkanlığı ile Cavit Bey'in dik-
   katini çekmiş, daha sonraları ailesi ticaret yapmak için İstanbul'a yerleşmesi-
   ne rağmen Osman Nevres gitmeyerek, Cavit Bey'in gözetimi altında kalmıştı.
   Okulu tamamlayınca, ülke sorunlarıyla ilgilenmek, siyasetiyle uğraşmak he-
   vesiyle İstanbul'a gelir (1907). 1909 ve 1914 yılları arasında Fransa'ya gider.
   Paris'de Sorbonne'a kaydolan Osman Nevres, "siyaset bilimleri" eğitimi gör-
   meye başladı. Burada Belçika'lı sosyalist Emile Vandervelde'nin konferansla-
   rını izlemiştir. Sorbonne'un siyasal bilimler bölümünü tamalayamadan 1914'ün
   ilk aylarında İstanbul'a dönmüştü. İstanbul yıllarında İttihat ve Terakki hükü-
   meti ile çalıştı. Daha sonraları kurulan Teşkilat-ı Mahsusa'ya İttihat ve Terakki
   tarafından verilen ve Balkan ülkelerini, ülke aleyhine kışkırttığı öne sürülen
   Buxton kardeşler suikastında görev aldı. Hasan Tahsin adını ilk kez bu görev-
   lendirmede kullanmış daha sonraları İzmir'de yaptığı çalışmalarda da tamamen
   bu ismi benimsemiş ve kartvizitlerini de bu şekilde bastırmıştı. Gerçek Hasan
   Tahsin İttihat ve Terakkinin illegal çalıştığı yıllarda vurucu güç olarak çalışan
   Teşkilat-ı Mahsusa üyesi daha sonraları 1915 yılında öldürülmüş bir subaydır.
   Osman Nevres Romanya'da yapacağı çalışmalarda gizlilikten ve deşifre olma-
   maktan dolayı bildiği bu ismi kullanmış ve Romanya'da bu isimle bulunmuştur.
   2 Ekim 1914'de ki suikast girişiminde başarılı olamamış, Buxton kardeşlerin
   biri yara almadan, diğeri hafif yaralarla kurtulmuştur. Yakalanan Osman Nevres
   (Hasan Tahsin) Bükreş'de bir hapishaneye konulmuştur. Uzun süren sorgulama
   ve duruşmalardan sonra, Osman Nevres, 5 yıl kalebentliğe mahkum olmuştu.
   Osman Nevres 'in bir mektubunda da belirttiği gibi bu gibi suçlara Romanya
   mahkemeleri 20 yıl kürek cezası vermektedir. Bu cezadan suikastın fazla önem-
   senmediğini söyleyebiliriz. Hasan Tahsin ittifak kuvvetlerinin Romanya'ya
   saldırması ve Bükreşi ele geçirmesi ile 8 Aralık 1916 da hapisden kurtulmuş-
   tur. İstanbul'a geri döndükden sonra İttihat ve Terakki tarafından 1917 yılının
   ilk baharında İsviçre'ye gönderilmiştir. Burada sürgündeki aydınlarla çeşitli
   bağlantılar gerçekleştirdikden sonra 1917'nin sonlarında İstanbul'a dönmüştü.
   Daha sonra 1918'in ortalarında, gazete çıkarmak ve İsviçre'de kafasında oluşan
   barışı oluşturmak için İzmir'e gelmişti. Buraya gelişi ile birlikte Hasan Tahsin
   adını tamamı ile kullanmaya başlamıştı.

önleyebilecek hiçbir şey bulamazlardı. Perde açılmış, oyun başlamıştı. Bu oyunu yazanlar ve baş aktörleri artık sahneye çıkmışlardı. Gazeteden arkadaşlarıyla birlikte ellerindeki tüm demokratik yolları kullanmışlar, bu işgale toplumca bir tepki koysunlar diye, tüm devlet kurumlarına, Babıali'ye, İstanbul'un büyük gazetelerine, her yere telgraf çekmişler ki ama nafile, mütareke basını[24], özellikle padişah ve hükümet yanlısı kalemler, örgütler[25] hep önlerine çıkmış, engellemişlerdi. Düşüncelerine göre bir tek çare kalmıştı. Milleti, Anadolu'yu uyandırarak, silaha sarılmalarını sağlamak ve bu işgale her ne olursa olsun güçlü bir şekilde karşı çıkılmasını sağlamaktı. Osman Nevres, 13 Mayıs 1919'da Hukuk-u Beşer gazetesinin baş yazısında "O Yunanlılar gelsin, silahlarımızı toplasın, evlatlarına silah dağıtsınlar. Benliğimizi parçalasınlar. Ruhumuzu ezsinler. Fakat asla, asla unutmasınlar ki Türk ölmedi, yaşıyor. Kalbinin, ruhunun, Müslümanlığının, peygamberinin telkin ettiği ilahi düşüncelerle yaşıyor. Ve burayı Yunan'a vermeyecektir. Vermek isteyecek kuvvetle kozumuz var. Hatta, süngülerimiz, silahlarımız olmazsa bile... Asi ruhumuzla, coşkun kanlarımızla, hararetli vicdanlarımızla, sökülmeyen dişlerimizle bu memleketi müdafaa edeceğiz. Ne kadar zehirli olursa olsunlar, o dişlerle, üstün maneviyatla kuvvetlenen dişlerimizle kalplerini parçalayacağız."[26]

14 Mayıs 1919 günü, İzmir Valisine ve Kolordu Komutanına, bu işgale direnme konusunda yapmış olduğu müracatlardan da sonuç alamamışlardı. Devleti idare edenlerin bu kadar basiretsiz, aciz, çaresiz olabileceklerine inanmıyorlardı. Osman Nevres, kararını vermişti. Çıkan Yunan askerlerine tek başına da olsa silahlı mukavemet gösterecekti. Osman Nevres ölecekti, ama bu bir sembol

24 Musavat Gazetesi, Vakit Gazetesi, Alemdar Gazetesi, Peyam-i Sabah Gazetesi
25 İslami Yükseltme (Teali) Cemiyeti, Türk Teali Cemiyeti
26 Koloğlu, Orhan, Dr, Türk Basını (Kuvayı Milliye'den Günümüze, Kültür Bakanlığı Yayınları, No: 1563, Ankara 1993, s.46.

olacaktı. Bu fedakârlık belki de, işgale karşı üzerimize serpilen ölü toprağından silkinip çıkmamıza, bu vurdum duymazlığa, çaresizliğe, nemelazımcılığa ve bu teslimiyetçiliğe karşı Türk'ün ruhundaki istiklal ateşini küllerinden yeniden kor haline getirmeyi sağlayacaktı. Osman Nevres, bu kararını gazetede güvendiği ve sevdiği birkaç arkadaşına söyledi. Sabri de onlardan biriydi. Osman, 14 Mayıs, akşamüzeri her zaman olduğu gibi işini bitirip, masasını toplamış çantasını hazırladıktan sonra, tanıdıklarıyla vedalaştıktan sonra sessizce gazeteden çıkmış, Frenk mahallesindeki evine yürüyerek gitmişti. Celal, Osman'ın arkasından gururla bakmış, vermiş olduğu bu kararın büyüklüğüne karşı, hissetiği takdir ve hürmet hisleriyle duygulanmıştı. Ofise dönmüş, kendisi de memleketi Gördes'e gideceğinden, 15 Mayıs'ta ve daha sonra işe gelemeyeceğini söyleyerek arkadaşlarıyla vedalaşmıştı. Eve gelirken, Pasaport ve Kordon istikametini kullanmış, liman açıklarında bekleşen savaş gemilerine nefretle bakmıştı.

Salih, sabahı zor etmişti. Yataktan kalktığında, Hayriye Hanım ve Saliha'nın hararetli hararetli mutfakta aş pişirdiklerini gördü. İki kadın da, en güzel elbiselerini giymişlerdi. Hüsrev Efendi de memuriyetten kalma takım elbisesini giymiş, köşesinde bastonuna dayanmış olarak oturuyordu. Dışarıdan biri gelse, bu evde biraz sonra bir düğün olacak diye düşünürdü. Salih de şaşırmıştı. Annesi en sevdiği düğün çorbasını, ablası da etli pilav yapıyordu. Yatağının ucunda, mis gibi sabun kokan yeni içlikler ve elbiseler vardı. Ayak yoluna gidip geldikten sonra özenle tüm giysileri giydi ve mutfağa geçti. "Geldin mi guzum, sen sofraya ilişiver, şincik aşını getiriveririm." Dedi Hayriye Hanım yüzünde gülücüklerle. "Gidip de dönmemek, gelip de bulmamak var oğulcuğum, ama sen hiç tasalanma Allah'ın izniyle bize kimse hiç bişeycik yapamaz. Kale gibi, dağ gibi dururuz. Eğer buralarda yaşamak çok sıkıntılı ve tehlikeli olursa, Yahya dedenin, arabacısı Seyfettin var, onunla konuştum, benden haber bekliyo, ne zaman istersek, ablan ve dedenle birlikte Akhisar'a götürüvericek. Sen yüreğini ferah tut oğulcuğum" diyerek teselli verdi. Bunları duymak Salih'i oldukça rahatlatmıştı. Ayrıca, annesi Hayriye Hanım'ı da, şehirde Türk ahali olduğu gibi gayrimüslim ahali de sever sayardı. Ayrıca, kereste tüccarı dedesinin de ölmüş olmasına rağmen hâlâ şehirde saygıyla anılır ve yadedilirdi. Gönlü rahattı. Yine de ayrılık, yüreğine saplanan ince bir hançer gibi sızım sızım sızlatıyordu.

"Gitmiyor muyuz" dedi Eyüp heyecanlı heyecanlı, "Yoksa burada hep beraber Yunan askerlerinin çıkışını mı bekleşeceğiz, sonra da topluca da alkışlayıveririz". "Atları, Bağlar tarafındaki bizim bağ evinden alacağız, dün hazırlığını yaptırıvermiştim. Buradan oraya iki saat çeker. Hemen kalkarsak güneş yükselmeden varırız" dedi Sabri. "Benim bir fikrim var akedeşler" dedi Celal. "Bizim gazeteden Osman'dan bahsetmiştim size bildinizmi?Hani Hasan Tahsin olarak da bilinir," "Evet" dediler, topluca. "O bu sabah çok önemli bi şey yapacak, çıkan Yunan Alayının karşısına dikilip ateş edecek". "Deli mi, bu!" diye heyecanla ayağa fırladı Eyüp, "Zati adamlar bahane ariyorlar, bütün şehirdeki Türk ahaliyi kırdıracak mı bu herif?". "Ama, ilk tabanca patlamazsa, bu Yunan eşkiyaları ellerini kollarını sallıyarak şehre girerlerse, nerede kaldı bizim mücadelemiz. Bu tamamen bir sembol, Türk milletinin bu olup bittiye seyirci kalmayacağını gösterecek. Eğer Yunan eşkiyaları da ahaliye saldırırsa, bütün dünyaya gerçek yüzlerini göstermiş olacaklar. Osman Nevres büyük bir fedakarlık yapıyor. Ama tek korkum başarısız olması. Tabancasının tutukluk yapması veya iyi nişan alamayıp ateş edememesi. Onun için bir teklifim var", dedi. Hepsi dikkatle Celal'i dinliyorlardı. " Kimin tabancası yanında" diye sordu. "Benim var" dedi Eyüp. "Bildiğim kadar da iyi nişancısın, değil mi?", "Evet" dedi Eyüp yine heyecanla, "Heyecanlıyım, ama elim titremez evvel Allah". "O zaman Sabri ile Salih hemen yola koyulup bağ evinden atları alıp buraya, koruluğa getirsinler, ben ve Eyüp Kışla Binasının yan sokağında, bekleşelim, Osman ortaya çıkıp ateş ettiğinde Eyüp de ateş eder" dedi. Celal'in anlattıkları hepsini heyecanlandırmıştı. Sabri ile Salih, ellerindeki torbaları oldukları yerde bir çalının altına iyice sakladıktan sonra koşarak, Sabri'nin babasının bağ evine doğru hızlıca uzaklaştılar. Eyüp, tabancasını çıkarıp içindeki mermilere baktı, hepsi temiz ve pırıl pırıldı. Babası Aydın'da, tanınmış efelerden Danişmentli İsmail Efe'ydi. Oğluna küçük yaşta silah kullanmasını, ata binmesini öğretmiş, tam bir efe gibi yetiştirmişti. Celal, cebinden bir defter çıkarmış, hafif alacakaranlıkta bir şeyler yazıyordu. Gazetecilik damarı tutmuş, yaşadığı her olayı kaydediyordu. Kimbilir bir gün bunları gazetesinde yayınlayabilir miydi?

Osman,[27] İzmir'de bulunduğu yıllarda daima koyu renk elbi-

---

27 (Sunay Akın'ın *"İstanbul'da Bir Zürafa"* kitabından Hasan Tahsin'le (Osman Nevres) ilgili bir bölüm aktarılmıştır. "Leylekler Geçerken") Bükreş Cezaevi'ndeki mahkum, her sabah olduğu gibi, 1915 yılının 13 Şubat günü de, hücresinin penceresine konan serçelerin ötüşleriyle uyanır. O gün, kahvaltısının bir bölümünü serçelerle paylaştıktan sonra oturur ve dört duvar arasından bir mektup yazar kız kardeşlerine: "Serçelerim elimden kırıntıları yiyerek bir toplumsay düzeye yükseldiler. İlk günler çağrıma sekerek, korkarak gelen bu kanatlı çiçekler, şimdi güvenle parmaklarımın ucundan kırıntıyı gagalıyor, yöremde cıvıltıyla uçuşuyorlar".

Alcatraz Kuşçusu gibi serçelerle dostluk kuran, onları elleriyle besleyen mahkum, Selanik'te doğmuş ve Mustafa Kemal Atatürk'ün de okuduğu Şemsi Efendi Mektebi'ne gitmiştir. 27 yaşındaki mahkum, ziyaretçisi olduğunu söyleyen gardiyanın ardından yürürken merak içindedir; yabancısı olduğu bu kentte kendisini görmek isteyen kim olabilir ki? Mahkum, iki yıl önce, öğrenci olarak bulunduğu Paris'in bir sinemasında Trablusgarp Savaşı'nda İtalyanlar'ı haklı gösteren sahneleri izlerken sinirlerine hakim olamamış, sahneye sandalyesini fırlatmıştır. Kendisini ziyarete gelen ise, Balkan halkını Osmanlı'ya karşı kışkırttığı için karşısına tabancayla dikildiği İngiliz gazeteci Noel Edward Buxton'dur. Mahkum, Noel Buxton'a ateş etmiş ama kardeşi Leland Buxton'u yaralamıştır. O gün, ziyaretçi şunları söyler mahkuma: "Sen cesur bir çocuksun. Ben de fena adam değilim. Tesadüf bizi karşı karşıya getirdi. Aramızdaki fikir seler giyiyordu. Tek bir kez olsun, onu başında fesle İzmir sokaklarında dolaşırken gören olmamıştır. Frenk mahallesinde iki katlı tipik bir rum evini kiralamıştı. Bu ev Birinci Kordon'daki Sporting Kulüp'ün birkaç sokak arkasına düşüyordu.

İzmir'de Mondoros Mütarekesini izleyen günlerde Hukuk-u Başer (İnsan Hakları,11 Kasım 1918) adında bir gazete çıkararak mücadelesini bu yönde sürdürmeye başlamıştı. Osman Nevrez iki üç ay boyunca bu gazetede sanıldığı gibi ateşli ve yurtsever yazılar yayınlamış değildir. İlk başlarda direnmeden değil, büyük devletleri kızdırmadan ve onların gözüne hoş görünmekle ülkeyi esenliğe

---

aykırılığını ve siyasi kini bir tarafa bırakarak insan sıfatıyla ahbap olamaz mıyız?"

Cezaevi serüveni, Romanya'da gizli çalışmalar yapan İngiliz Noel Edward Buxton ve Leland Buxton adlı kardeşlerin karşısına 2 Ekim 1914'de tabancasıyla dikildiğinde yakalanmasıyla başlamıştır. Balkan halklarının İngiltere yanında yer alması için Osmanlı'ya karşı etkinlik yürüten kardeşlerden Noel Buxton, kendilerini öldürmek isteyen adamı merak ederek cezaevine gider. Böylelikle, mahkumun serçelerle kurduğu dostluktan çok daha sıcak bir dostluk başlar aralarında. Öyle ki, Bükreş'in Almanlar tarafından işgal edilip, mahkumun serbest bırakılmasına kadar sürer gider bu dostluk!

Kenti işgal eden askerler, saat kulesinin bulunduğu meydana geldiğinde binaların çatılarına konan kuşlar aşağıda olup bitenleri şaşkınlıkla izlemekteydiler. Maydanlarını askerleri alkışlamak için toplananlara kaptıran kuşların yüzlerindeki endişe, kalabalığın arasına tek tük serpilmiş insan yüzlerinde de görülmektedir. Bahar yağmuru taşıyan bulutlarla kaplıdır gökyüzü. Yol boyunca alkışlanan askerlerin en önünde ilerleyen at üstündeki adamın elinde, ucu yere kadar uzanan görkemli bir bayrak vardır. Gök gürültüsünden önce duyulan silah sesiyle bayrağın tamamı serilir yere. Askerler ve onları karşılamaya gelen insanlar kaçışırlarken, köşedeki kıraathanenin önünde eli silahlı bir adam heykel gibi durmaktadır. Onun bu duruşu yıllar sonra gerçek bir heykele dönüştürülecek ve kaidesine "Hasan Tahsin"adı yazılacaktır. İzmir'in Konak Meydanı'nda bulunan Hasan Tahsin'in heykeline kuşlar konup havalanır hergün. Ama ne zaman sağ eline bir kuş konsa hüzünlenir Hasan Tahsin; çünkü, elinde o an tabanca değil, ekmek kırıntıları olsun ister. Ülkesini işgal etmeye gelen ordunun en önünde bayrak tutan Yunan teğmeniyle de , yaşamın başka bir anında karşı karşıya gelselerdi, Noel Buxton gibi dost olacaklarını çok iyi bilmektedir!

çıkarabilmenin yolundaydı. Daha sonra bu düşüncesinden vazgeçmiş ve çok ateşli yazılar yayınlamıştı. Ülkedeki durum, özellikle bu yıllarda, Türk halkı ve köylüsü için daha da zorlaşmıştı. Hükümetin Milli iktisat politikası, Türk burjuvazisi ve tüccarı yerine, ortaya çıkara çıkara vurgunculardan, karaborsacılardan kurulu bir savaş zengini sınıf çıkarmıştı. Türk halkı ve köylüsü için ortada gene değişen bir durum yoktu. Dünya Savaşı'ndan önce azınlıklar ve yabancılar tarafından sömürülen Türk halkı, bu kez Türk tüccarı tarafından daha da acımasız bir şekilde sömürülmeye başlanmıştı.[28]

Bu şartlarda gazetesini çıkarıp yaşatma çalışmaları yapan Osman Nevres bunda fazla başarılı olamamış ve gazetesi kapatılmıştı. Daha sonra bir süre için Sulh ve Selamet gazetesini çıkaran Osman Nevres burada mütarekeden sonra savaşla birlikte türeyen bu sınıfı eleştiren seri yazılar yayınlıyordu. Ateşli bir gazeteci, vatanperver bir yazardı. Kalemi çok kuvvetliydi. Kavgacı değildi, ama söz konusu vatan olduğunda, diğer bütün şeyler nafile oluyordu gözünde

Aynanın karşısına geçti. Kısa ama düzgün saçlarını, sağ eline sıktığı limonla ıslattı ve cebinden çıkarttığı kemik tarakla sol tarafa hafifçe yatırarak taradı. Osman Nevres Hukuk-u Beşer gazetesine gelene kadar birçok gazetede çalışmış, ama sert mizacı, keskin dili yüzünden çalışma yaşantısı çok uzun sürmemişti. Bu gazete aynı zamanda, daha sonra parti haline gelen Osmanlı Sulh ve Selamet Cemiyeti'nin İzmir'deki yayın organı durumundaydı.

Geçen aylığıyla aldığı siyah takım elbisesini ilk kez giymişti. Ayakkabılarını da bir gün önceden pırıl pırıl parlatmıştı. Tabancasını, eline aldı, önce mermilerinin tam ve temiz olup olmadığına baktı, sonra düzgünce silerek kılıfına sokup beline yerleştirdi. Her sabah,

---

28 Egede Kurtuluş Savaşı Başlarken HASAN TAHSİN" isimli kitaptan yararlanılmıştır. Aksoy Yayıncılık,1998

gazeteye götürmek için kapıda bekleyen arabanın sesini duyduğunda yavaş yavaş merdivenlerden iniyordu.

Frenk mahallesinde sokaklar boştu, hemen hemen her evde bir Yunan bayrağı asılıydı. Sahile yaklaştıkça kalabalık artmaya başladı. Her kesimden insanlar gelmişti. Rumların hepsinin elinde kalın sopalara sarılı bayraklar, sevinç naraları atarak ilerliyorlardı. Bir kısmı milli kıyafetlerini giymiş, bir kısmı ise silahlıydı. Punta[29] Burnu'ndan Konak İskelesi'ne doğru tüm kordon boyu Yunan bayraklarıyla donatılmıştı. Araba, kalabalık nedeniyle zorlukla ilerliyor, arabayı çeken at zaman zaman sevinç bağrışmalarından ürkerek duraklıyordu.

Yunan Evzon Alayı askerleri limana inmiş, Metropolit tuz serperek hepsini kutsuyor ve dua ediyorlardı. Osman, yavaşça belindeki tabancayı kılıfından çıkartarak sağ eliyle ön tarafından kemerine sokup ceketinin önünü kapattı. Saat kulesine 10 metre uzaklıkta, sırtı Kışla binası asker kırahathanesine dönük olarak, bir palmiyenin dibinde ayakta dimdik duruyordu. Tören alanını net görüyordu, ama mesafe uzaktı. Ayrıca, dini tören esnasında yapacağı bir müdahalenin anlamsız olabileceğini düşündü. Rum çetelerinin Türk köylerini basıp köylüyü, camilerde öldürdüklerini duymuş ve kınamıştı. Canilik diye düşünmüştü hem kula, hem de Allaha karşı. Şimdi kendisi de aynı hatayı yapmamalıydı. Dini törenin bitmesini, askerlerin kışlaya doğru yürümesini beklemeliydi. Heyecandan yüreği yerinden fırlayacakmış gibiydi. Elleri terlemiş, ağzı kurumuştu.

Celal ve Eyüp birlikte Asker Kırathanesinin yanında ki sokağın başında yerlerini aldılar.

"-Bak" dedi Celal, "Saat Kulesinin yanındaki palmiyeye yaslanmış siyah takım elbiseli Osman olmalı. Sen biraz daha ona yak-

---

29 Alsancak Burnu

laş. Yunan askerleri kışlaya doğru yürüyüşe başlayınca silahını ateşleyecektir. Önce onun harekete geçmesini bekleyelim, hedefini vurursa, sen hiçbir hareket yapma, geriye dön ve hızlıca sokağın içine gir, ben seni orada bekleyeceğim. Aynı zamanda kulağın da bende olsun, arkanızdan olabilecek herhangi bir saldırıya karşı da seni uyaracağım. Fazla, oyalanma, iki ya da üç mermi attıktan sonra hızla geri dön ve sokağa doğru koş", dedi. Eyüp heyecanlıydı, ama korkmuyordu. Sessizce Celal'i dinledi ve kafasıyla onayladı. Sağ eli silahında, yavaşça işaret ettiği siyah takım elbiseli adamın arkasına doğru yanaştı.

Birazdan, bir sancak, bir bayrak ve iki muhafızlı bir grup önde, Alayın geri kalanı arkada olmak üzere Evzon Alayı kışla binasına doğru yürüyüşe başlamıştı. Artık zamanı geldi diye düşündü ve gelen birliğin önüne doğru 3-5 adım atarak çıktı. Askerler yürüyüşlerini duraksamadan devam ediyorlardı. İçindeki öfkeyi, birkaç gün önce yazdığı yazının başlığıyla haykırdı

"-Uyan Türk oğlu, uyan!". Bağırırken de ceketinin önünü sağ eliyle açarak kemerindeki silahı doğrultup arka arkaya, iki el ateş etti.

Silah sesi kesilince, tam arkasından üç-beş el silah sesi daha geldi. Bayrak taşıyan askerlerden, en önde yürüyen uzun boylu sancaktar Yunan askeri ve hemen yanındaki muhafız (Teğmen) yere yığıldılar. Alayın geri kalan askerleri geldikleri yöne dönerek hızla geriye koşmaya ve yere yatarak mevzi almaya başladılar. İlk mermi göğsüne değdiğinde, silahı elinden indirmiş yerde can çekişen askerlere bakıyordu. Göğsünde, ince bir sızı ve yanma hissetti, sonra kolunda, bacaklarında ve boynunda da aynı acıları tekrar hissetti. Yere yatan Yunan askerleri kendisine doğru ateş ediyorlardı. Bacaklarındaki gücün azaldığını, kalbinin normalden daha fazla hızlı attığını, vücundaki kanın çekildiğini hissediyor ve ortalık yavaş

yavaş kararıyordu. Elindeki silah yere düştü. Bacakları artık kendini taşımıyordu. Dizlerinin üzerine çöktü, kafası iyice bulanıklaşmıştı, çocukluğunu görüyor, annesini, babasını, okula giderken, arkadaşlarını... Tüm bu görüntüler anlamsız geliyordu. Çevresindeki bağırış, çağırış bir uğultu gibi geliyor kulaklarına ve hiçbir şey anlamıyordu. Kafasını hafifçe kaldırdı, karşıdan elinde silahına süngü takılmış bir Yunan askerin kendisine doğru koştuğunu gördü. Artık gözleri de çok net göremiyordu, geçmişle ilgili hayaller, hayaletler uçuşup duruyordu hafızasında. Asker, elindeki süngüyü hızla göğsüne saplarken, katilinin gözlerine baktı. Hiçbir şey hissetmiyordu. Beyni uyuşmuş ve ağır bir uyku tüm bedenini sarmıştı. Derin bir karanlığa dalıp gitti.

Biraz sonra, siyah takım elbiseli adam, askerlerin karşısına çıkmış bir şeyler söyleyip ateş etmeye başladı. Adamın iki el ateş etmesinden sonra, silahı bir daha patlamadı, askerlerden de hiçbiri vurulmamıştı. Eyüp, sağ elindeki silahı doğrultarak öndeki askerler üç el ateş etti. Askerlerden biri alnından diğeri göğsünden vurularak düştü. İki el daha ateş ederek geriye, sokağa doğru koşmaya başladı.

Eyüp, o sırada civar evlerden birinin penceresinden bakan yaşlı bir kadına döndü; "Nine, gördün ya, yarın ahirette şahidim sen ol. Kurşunum, cephanem tükendi; onun için geriye gidiyorum."[30] diyerek sokağa Celal'in yanına koşarak gitti. Her ikisi de sokağın arasında kayboldular.

---

30 Harp Tarihi Teşkilatı Üyesi Rahmi Apak: İstiklal Savaşında

V. BÖLÜM

"insanlık gözünde sınıfta kalmak"

"- Adın ne?"

"- George Hristo Kalimaki"

"- Kaç yaşındasın?"

"- 22"

"- Babanın ve annenin adları?"

"- Aleksandros ve Eleni Kalimaki"

"- Kendine ait silahın, tabancan var mı?"

"- Yok"

"İleride gördüğün çavuş Markos'un yanına git, seni limandaki depo gemisine gönderecek, oradan silah, cephane ve üniforma alacaksın. Bundan sonra Evzon Alayı 6. bölük askerisin. Malzemelerini aldıktan sonra, Musevi mezarlığının altındaki ordugahta, Teğmen Kostas'ı bul, o sana yardımcı olacak". Kayıt yapan personel subayı

Hristo'ya bunları söyledikten sonra, sabahın erken saatlerinden beri bekleyen yerli Rum gençlerinden diğerini çağırdı.

İşgal Komutanlığı, İzmir ve çevresinde eli silahlı başıboş, düzensiz Rum silahlı çetelerini önleme, yapacakları harekâtta, halkla Türkçe tercümanlık sağlamalarını kolaylaştırmak ve bölgeyi bildikleri için Yunan askerlerine mihmandarlık yapmak için bir bildiri yayınlayarak, münferit silahlı mücadele yapılmayacağını, gönüllü olanların Helen ordusuna katılabileceklerini, ordu ve izin verilen görevliler dışında hiç kimsenin silah taşıyamayacağını, aksi durumda yakalananların direnişçi ve yağmacı muamelesi görecekleri ve en ağır şekilde cezalandırılacaklarını, bütün şehire asılan el ilanlarıyla duyurmuştu.

İşgalin dördüncü günüydü. İzmir'de sıkıyönetim ilan edilmiş, bütün polis ve inzibat karakolları işgal olunmuştu. Zabıta ve inzibat işleri Yunan askerleri tarafından idare edilmeye başlanmış, İzmir Liman Reisliği'ne bir Yunanlı atanarak, Türk gümrükleri de bunun emir ve kontrolü altına verilmiş ve kapısına Yunan armasını taşıyan "Yunan Gümrük Kontrolü" levhası asılmıştı. Şehrin yukarı mahallerinde yanan evlerin dumanları tütüyordu. Sokaklar, acil ihtiyaçları karşılamak üzere üç beş tane Rum ve Ermeni dükkânının dışında bütün dükkânlar kapalıydı.

İzmir'de bir de Merkez Komutanlığı tesis edilmiş, tümen karargâhı ise o gün, iskeleye yanaştırılmış olan Leon muhribinde kalmıştı. Tümen Komutanı Albay Zafiriu, alınan tüm raporlara rağmen, Türk direniş kuvvetlerinin her an bir taarruz tedirginliği içinde olduğundan henüz karargâhı kışla binasına taşıma niyetinde değildi. Şehirde tüm emniyet tedbirlerini aldıktan sonra taşınmayı emretmişti.

İzmir Valisi Kambur İzzet Bey, makamında oturmaya devam ediyordu. Hükümet binası dışında tüm resmi binalara Yunan bayrağı asılmıştı. Sembolik olarak Hükümet Binasında bir adet Türk bayrağı bırakılmıştı. Dört gün boyunca, yaşananları hiçbir mantık açıklayamazdı. İşgalin ilk gününde yaşanan olaylar, sevinç, kin nefret, öfke ve saldırganlık duyguları, yıllardır İzmir'de yaşamış köklü Rum ahaliyi bile çileden çıkartacak düzeydeydi.

İşgalin ilk 48 saati içinde İzmir ve banliyölerinde (Urla yarımadası ve köyleri dahil) öldürülen Türklerin sayısı 2000'in çok üstünde idi.

Gittikçe artan bu mezalim ve yağmacılığın korkunç akisleri dünya genelini sarmaya başlayınca, Yunan işgal komutanı Rum ahaliye bir beyanname yayınlayarak, vilayetin içinde ve dışında "Türklere karşı silah kullanan ve mallarını yağma edenlerin yerli Rumlar olduğunu" açıklamak suretiyle, Yunan kıtaları ve Yunanlı idare adamları üzerindeki ağır ve iğrenç cinayet lekelerini temizlemek istemişti. Ancak olayların çoğu İzmir limanını ve şehri sıkı bir nezaret altında bulunduran, İtilaf temsilcilerinin ve Avrupalı müşahitlerin gözleri önünde cereyan ettiği için, hakikati örtmeye imkan yoktu. Lord Curzon'un iddiası doğru çıkmıştı. O, 18 Nisan 1919'da hazırlamış olduğu bir muhtırada; "Selanik şehrinin kapılarından beş mil ötede asayişi devam ettirmekten aciz olan Yunan Hükümeti'ne, bütün İzmir vilayetinde nizam ve asayişi kurmak vazifesi emanet edilebilir mi?"diyordu.[31]

"- Artık hiçbir şey eskisi gibi olmayacak vire", dedi Aleksandros; Hristo kendisine Yunan Evzon Alayına katılma kararını söylerken.

Evde kimsenin yüzü gülmüyordu. Eleni mantıklı bir açıklama getirmek için zorlanıyordu, ama ölen Türklerin parçalanmış ve yanmış cesetleri gözünün önüne geldiğinde yutkunuyordu.

"- Ama", dedi "Türkler de, Rum ve Yunan ahaliye yüzlerce yıl bu yaşananlardan daha zalimce öldürüp yaktılar, çocuklarımızı alıp

---

31   Gen.Kur.ATASE Arşivi No. 1/220 Dlp.1, G.1, Kls.996, Dos.24, F.15

Türkleştirdiler, kadınlarımıza, kızlarımıza en vahşice tecavüz ettiler, emzirmesin diye annelerin göğüslerini kestiler, hamile kadınların çocuklarının cinsiyeti üzerinde bahis oynayıp, canlı canlı bebekleri annelerinin karnını deşerek çıkarttıklarını unuttun mu vire?" dedi.

"- Tıpkı yukarı mahallelerde yaşayan Türklere yaptıkları gibi mi vire?", dedi sinirlenerek Aleksandros. Eleni susmuştu, bu vahşetin, soygunun ve tecavüzün açıklaması olamazdı. Kocası haklı çıkmıştı. Yunanistan'da işsiz güçsüz eşkıya takımı limana iner inmez, bu güne kadar hiç görmediği yerli Rum komitacılarla birleşerek, büyük bir vahşete başlamış, suçlu-suçsuz, kadın-erkek-çocuk demeden soymuşlar, tecavüz edip öldürmüşlerdi. Yukarı mahalleye, yanmış insan eti kokusundan girmek mümkün değildi. Canını kurtaranlar, Anadolu'nun içlerine doğru, hiçbir şeylerini almadan kaçmaya başlamışlardı. Tam bir insanlık yüzkarası yaşanıyordu. Avrupa'ya medeniyet getirdiğini iddia eden bir ırkın torunları, bu işgal rezaletiyle insanlık gözünde sınıfta kalmışlardı.

Hristo, "Ben, Evzon Alayına kaydımı yaptırdım", dedi mırıldanarak. Babası, Hristo'nun donuk yüzüne bakarak,

"-Kararına saygı duyuyorum evladım. Tek bir şey isteyeceğim, aileni ve atalarını utandıracak hiçbir şey yapma."

Evden çıktı. Havada garip bir koku vardı. Hava kapalıydı; yağmur hafifçe çiselemeye başlamıştı. Bu sabah erken saatte iskeledeki asker alma kuyruğuna, arkadaşı Dimitri ile birlikte girmiş, iki saat bekledikten sonra kaydını yaptırıp silah ve malzeme almıştı. Kendisine tarif edildiği gibi, Musevi mezarlığı yakınındaki takımına katılmaya gitmiş, ama orada Teğmen Kostas'ı bulamamıştı. Halkapınardaki ordugâhta olabileceğini söylemişlerdi. Arkadaşı Dimitri'den burada ayrılarak eve gelip malzemelerini bırakmış ve Halkapınar ordugâhına gitmişti.

Teğmen Kostas, bu yakışıklı uzun boylu Rum delikanlısını görünce, "Gel bakalım, sana askeri malzeme silah vermediler mi?" diye sormuş, Hristo'nun bu malzemeleri eve götürdüğünü duyunca, çevresindeki askerlerle uzunca bir süre gülüşmüşler "Çocuk, bu malzemeleri evcilik oynayacak oyuncaklar mı sandın vire?" demişti. Sabahki bu manzara aklına tekrar geldiğinde, Türk mahallesine giden yokuşu tırmanıyordu, kendi kendine gülümsedi. Sonra da, Teğmen Kriko, "O zaman bu akşam evine git, ailenle vedalaş, yarın uzunca bir seyahate çıkacağız" diyerek uğurlamış, arkasından da bağırarak "oyuncakları getirmeyi unutma" diye kahkahalar patlatmıştı. Hristo, hayatında hiç bu kadar utanmamıştı.

Türk mahallesine girdiğinde, duyduğu yanık ve is kokusundan midesi bulandı ve başı dönmeye başlamıştı. Buraya neden geldiğini çok iyi biliyordu. Anne, babası ve kardeşiyle vedalaşmadan önce aklında kalan bir Türk kızını tekrar görmek istiyordu. Belki de konuşabilirdi. Bütün bu olanlardan sonra nasıl konuşabileceğini de bilemiyordu. Ama, isminin Saliha olduğunu öğrendiği ve ilk gördüğünden beri aklından çıkmayan, başörtüsünün altındaki siyah bukle saçlar, yemyeşil gözler hiç aklından çıkmıyordu. Saliha'yı düşündükçe heyecan basıyor, kalp atışları hızlanıyor, buram buram terliyordu. İmkânsız bir beğeniydi, bu ama ne olursa olsun İzmir'den ayrılmadan önce görmeliydi.

Biraz önce, annesinin ve babasının anlattıkları endişelendirmişti. Şimdi, tamamı veya yarısı yanmış, ahşap binaların önündeydi. Acaba, bu çılgın Yunan askerleri ona bir zarar vermişler miydi? Bu mümkündü. Daha önce birkaç kere bu mahalleye kadar takip etmiş, evlerini öğrenmişti. Deniz tarafına bakan ahşap iki katlı eski, ama gösterişli bir evdi. Ya evdeyse, ne söyleyecekti. "Eminim", dedi kendi kendine "Benden ve benim ırkımdan şu an nefret ediyordur". Geri dönmek istedi, ama ayakları ve yüreği mantığının önüne geçmiş, ileride bahçe kapısı açık olarak gördüğü eve doğru sürükleniyordu.

Evin önünde durdu. İçeriden, uzun yün beyaz çoraplı, siyah cepkenli ve eli silahlı iki komitacı Rum çıktı. "A be çocuk, içeride alınacak bişeycik kalmamış, adalılar her bir şeyi talan etmişler", diyerek gürültülü konuşmalarla uzaklaştılar. Hristo, yavaşça ve ürkek adımlarla avluya girdi. Her taraf darmadağınıktı. Testiler yerlere atılmış, kırılmış, çanak çömlekler, tahta divan, ot yastıklar her biri bir yerdeydi. Yavaşça giriş kapısını aralayarak eve girdi. Türk evlerinin ilk girişlerinde sol tarafta genellike mutfak, sağ tarafta ise selamlık denen küçük bir oda bulunurdu. Sağ ve soldan iki merdiven üst kata doğru çıkardı. Genellikle sağ tarafı erkekler, sol tarafı ise bayanlar kullanır. Bu ev nedense ateşe verilmemişti. İçeride hiçbir yaşam belirtisi yoktu. Sağa sola atılmış öteberinin dışında hiçbir şey yoktu. Terkedilmiş bir haldeydi. Yavaşça yukarı doğru çıkarak merdivenin başında durdu. Genişçe bir holün çevresinde üç oda vardı. Holde tahta ve kırık bir sedir duruyordu. Önce soldaki ilk odaya girdi. Duvardaki cepken ve yatağın yanındaki kızılcık ağacından yapılmış eski bir bastonu görünce, buranın bir erkek odası olduğunu düşündü. Ortadaki oda daha sade ve düzenliydi. Hafif tütün kokusu vardı. En sağdaki odada iki yatak, dantel işlemeli bir pencere perdesi, sağa sola serpiştirilmiş işlemeli kadın kıyafetleri vardı. Ayaklarının dibinde, kırmızı ipek bir mendil dikkatini çekti. Yavaşça eğilerek aldı. Etrafı yeşil ve pembe işlemelerle oyalanmıştı. Tam bu sırada giriş kapısının hızla açıldığını ve hızlı adımlarla ahşap merdivenlerin gürültüyle çıkıldığını duydu. Arkasını dönüp odadan çıktığında bir Yunan subayın yanında iki silahlı askerle karşılaştı.

"-Kimsin sen vire?"

"-Ben aşağı mahallede oturan Rum vatandaşı Hristo Kalimaki"

"-Ne arıyorsun bu evde, yağmacılık mı yapıyorsun vire?"

"-Hayır, hayır ben Evzon alayı 6. Bölük teğmen Kostas'ın emrine girdim, sadece bakınıyordum"

"-Artık burası bir Yunan göçmen ailenin evi olacak, düzgün oturulabilir evleri seçiyoruz, Yuanistan'dan ve adalardan gelecek aileleri yerleştireceğiz, derhal burayı terket!". Hristo, Yunan subayının bu sert ültimatomundan.sonra elinde sımsıkı tuttuğu mendili iç cebine sokarak, koşarcasına evden dışarı çıktı.

Halkapınar'daki birliğine katıldığında güneş henüz doğmuştu. Teğmen Kirko, tebesümle karşıladı yeni gelen askerini. Hemen, gürültüyle çalışan kamyonlardan birini göstererek binmesini, nereye, ne niçin gittiklerini yolda arkadaşları anlatacağını söyledikten sonra, önde bulunan askeri jeepe koşarak bindi. Yola çıktıklarından beri midesi bulanıyordu. Ağır dizel yakıt ve yağ kokusu, gürültülü motor sesi, artık neredeyse hurdaya çıkacak askeri kamyonun olmayan amartisörlerinin bozuk taşlı yolun her çakıl taşını vucudunda hissetmesi allak bullak etmişti bünyesini. Sabah erkenden kalkmış, bir gün önce verilen üniformayı özenle üzerine giymişti. Elbisenin kolları ve bacakları biraz kısa kalmıştı ama yine de Samira'nın, alaycı gülüşlerine aldırmadan elbisenin sağını solunu çekiştirerek üzerine uydurmaya çalışmıştı. Eleni, sürekli ağlıyordu. Ağlamasının sebebinin oğlunu, yıllarca hayalini kurduğu bir Yunan askeri olarak görmesinden mi yoksa uzunca sürecek bir ayrılığın başlamasından mı kaynaklandığı anlaşılamıyordu.

Kamyonda 16 asker vardı. Bazılarının yüzü aşınaydı ama bazılarını hayatında hiç görmemişti. Elindeki eski mavzere sıkı sıkıya sarılmış, bir an evvel baş dönmesinin ve mide bulantısının geçmesi için dua ediyordu. Yüzleri aşına olanlar kendisi gibi birkaç gün önce Evzon Alayına gönüllü olarak kayıt yaptıran yerli Rum ahali gençlerdi muhtemelen. Onların da, kendisi gibi şaşkın ve rahatsız bir halleri vardı. Kamyonun en arkasında oturan, ağzında sürekli yanık bir sigara bulunan orta yaşlı, kır saçlı asker belliki, Yunanistan'dan ya da Adalar'dan gelmiş tecrübeli bir askerdi. Kamyonun arkasından çıkan yoğun toza aldırmadan sigarasını içiyor, arada bir şeyler mırıldanıyordu.

"-Benim adim Makridis, sizin takımın çavuşuyum, sizin her türlü eğitiminizden, verilecek görevinizden, ben sorumluyum" dedi, yaşlı asker alaycı bir gülüşle. Yeni askerlerin hepsi anlamsız ve merak dolu gözlerle Makridis'e doğru bakıyorlardı.

"-Biliyor musunuz, biz şimdi nereye gidiyoruz vire?",

"-Zengin olmaya" dedi, diğer bir Yunan askeri.

"-Haklısın, Urla'ya gidiyoruz. Orası, yıllar önce amcam Georgios'un yerleştiği, üzüm bağları, zeytin ağaçları ile dolu cennet gibi bir yer. Savaştan sonra oradaki köylerden birine yerleşeceğim ve emekliliğin tadını çıkaracağım" dedi, keyifle.

"- Teğmen Kostas, emir verdi sabah, oralarda tek bir Türk aile kalmayacak, o istilacıları bir an evvel geldikleri Orta Asya'ya süreceğiz, gitmeyenleri de atalarının yanına…". Makridis'in bu sözleri, diğer Yunan askerlerinin sevinç naralarına dönüşerek gülüşmeye başlamışlardı.

Kasabanın girişinde yerli Rum ahali, Urla kilise papazları ve yerli Rum kızları çiçeklerle, dualarla ellerinde Yunan bayraklarıyla, coşkulu bir şekilde Teğmen Kirko ve birlikte gelen askerleri karşıladılar. Çok geçmeden tüm askerler araçlardan inerek takım takım içtima ettiler. Hristo'da ise, araçla gelirken uğradığı mide fesatı, bulantısı ve başdönmesi yerine heyecanla verilecek görevler almıştı. Uzun boyundan dolayı sıranın en başında duruyordu.

Çok geçmeden birinci takımın askerleri, Teğmen Kostas'ın emriyle Belediye binasına girerek içeride bulunan Türk memurları ve jandarmaları dipçik darbeleriyle dışarı çıkartıp, "Zito Venizalos" diye bağırmaya zorlamaya başladılar. İtiraz edenleri, bekletmeden süngüyle delik deşik ediyorlar ve tekmeliyorlardı. Teğmen Kostas, takım komutanlarını yanına çağırarak uzun uzun bir şeyler anlattı.

Yarım saat kadar sonra Çavuş Makridis, takıma gelerek hemen geldikleri arabaya binmelerini söyledi. Araç yeniden gürültüyle boğuk boğuk sesler çıkartarak çalıştı. Araç, deniz kenarından ayrılarak bir tepeye doğru tırmanmaya başladı. Yol oldukça bozuk ve araç olabildiğine yavaş ilerliyordu. Topraktan yapılmış küçük, basık evlerin olduğu, daracık yollu bir köyün meydanında durdular. Araçtan iner inmez, bütün askerler Çavuş Makridis'in etrafında bir çember oluşturdular. Bir kısmının yüzleri Makridis'e dönük, bir kısmı da dışa doğru tüfeklerine mermi sürerek nişan vaziyetinde beklemeye başladılar. Makridis, eski, kırık, dökük masa sandalyelerinin olduğu bir köy kahvesinin karşısında dimdik durmuş, kahvede bulunan, üstü başı oldukça yıpranmış 4-5 tane yaşlı köylüye bakıyordu.

Arkaya dönerek, "Bana Türkçe bilen bir asker gelsin vire" diye bağırdı. Hristo, çevresine bile bakmadan koşarak çavuşun yanına gitti. Makridis, "Köylülere söyle" dedi, "Silahları nereye saklamışlar, çetiler nerede, on beş dakikaya kadar herkes köy meydanında toplanacak, saklanan, gelmeyen olursa, işgale karşı gelmekten, direnmekten tutuklanacak ve öldürülecek" dedi.

Köylülerden en yaşlısı, bastonuna dayanarak yavaşça Makridis'in yanına geldi.

"-Beri bak Kumandan bey, bizim köyde, ne silah, ne de Kuvvacı, direnişçi var, çetiler de buraya soymaya gelirler ancak, nereye gittiklerini de Allah bilir, gençlerimizin hemen hemen hepsi Cihan harbinde ismini bile bilmediği memleketlerde ölüp gittiler. Bir kısmı da Padişah efendimize isyan edip dağlara çıkmış ama neredeler, kimlerleler bir Allah bilir. Şincik, ne isteyiveriyorsan de bakam bana. Size aş, ekmek, süt getirelim karnınızı doyurun".

İhtiyar sözünü bitiremeden, Makridis sol elinin tersiyle ihtiyar köylünün, zayıf, hastalıklı ve traş görmeyen yüzüne öyle sert vurdu ki, köylü bir tarafa bastonu bir tarafa savruldu. Sonra da kafasını, böğrünü, köylü yerde hareketsiz kalıncaya kadar vurmaya, tekmelemeye başladı. Arkasına dönerek,

"-Anlaşıldı, kendi işimizi kendimiz halledeceğiz. Hemen bir Rum, bir Yunanlı asker olmak üzere ikişerli guruplar oluşturun ve köydeki her eve, ahıra, her deliğe girip bakın. Bulabildiğiniz herkesi buraya getirin. Ben sizi şu kahvede oturup bekleyeceğim. Haydi marş marş" diye bağırdı.

Araçla gelirken yanında oturduğu Yunan askeri Yorgo, Hristo'nun kolundan tutarak dar bir sokağa çekti.

"-Hadi çabuk ol, bu manyak çavuşu bekletmeye gelmez" dedi. Sokağın en sonundaki tek katlı kerpiç evin içine kapıyı tekmeleyerek girdiler. İki gözlü oldukça küçük bir evdi. İlk odada, oldukça yaşlı bir kadın, neredeyse hiçbir şey olmayan evin köşesinde ottan yapılmış yıpranmış bir sedirin üzerinde oturuyordu. Yorgo, hızla kadının yanına giderek süngüsüyle acıtacak şekilde birkaç kere kadını dürtüp "Dışarı" diye bağırdı. Kadın donup kalmıştı, hiçbir tepki vermiyordu. Yorgo, iyice sinirlendi ve kadına tüfeğinin dipçiği ile vurmaya başladı.

İçerideki odadan 16 yaşlarında incecik bir kız bağırarak dışarı fırladı,

"-Abeler, ne olur vurmayın o sağır dilsiz, yürüyemiyor". Ama geç kalmıştı, Yorgo'nun kadının kafasına vurduğu sert dipçik darbesiyle, yaşlı kadın cansız olarak yan tarafa düştü. Hristo, kızın söylediklerini çevirememişti, sadece donuk şekilde bakıyordu. "Ne diyor bu kız" diye Hristo'ya döndüğünde, kız yere yıkılmış olan kadının üzerine kapanmış hıçkıra hıçkıra ağlıyordu. "Hiç", dedi "Kadın, sağır, dilsiz ve sakatmış". Yorgo, tüfeğini sırtına astıktan sonra, yerde kapaklanmış kızı belinden sıkıca kavrayakak tüy gibi yukarı kaldırdı.

"-Makridis biraz beklesin, biraz işim var, sen kapıya göz kulak ol" dedi ve içerideki odaya kızı sürükleyerek götürdü.

Hemen hemen herkes köy meydanına toplanmıştı. Etrafında üzerlerine doğrultulmuş tüfeklerle çevrili yaklaşık yetmiş beş kadar kadın, yaşlı, çocuk vardı. Genç kızların ve oğlanların üzerleri paramparça ve kan içindeydiler. Kimisi, idrarını üzerine yapmış olmalıydı ki, ortalıkta kesif bir amonyak kokusu vardı.

Makridis, yerinden kalkarak, Yunanlı bir onbaşıya, eliyle toplanan köylüleri camiye götürmelerini işaret etti. Ortalıkta ağlaşan küçük çocuk seslerinin dışında ses yoktu. Bazı kadınlar, ağlayan çocuklarının ağızlarını elleriyle sımsıkı kapatarak susmalarını sağlamaya çalışıyorlardı. Rum askerlere, caminin dışında kalmaları söylendi ve Yunan askerleri, camiye giren köylülerle birlikte içeri girdiler. Cami içinde silah sesleri başladığında, Hristo artık daha fazla dayanamadı ve sabahtan beri midesinde bekleyen tüm yemekleri olduğu yere çıkarıverdi.

Makridis, camiden çıktığında kan ter içinde kalmıştı. Aracın şoförünü yanına çağırarak, yedek benzin çanta bidonunu getirmesini söyledi. Getirdiği benzin bidonunu, yarı ahşap olan derme çatma caminin içine ve etrafına iyice döktükten sonra ateşe verdi. Birazdan, Hristo'nun bir gün önce Türk mahallelerinde hissetiği yanık et kokusu etrafa yayılmaya başlamıştı.

"-Bütün evlere gireceksiniz tekrar" dedi Makridis, sigarasından derin bir iç çektikten sonra. "Değerli olan her şeyi alın, canlı olarak hiçbir şey bırakmayın, hayvanlar dahil herşeyi yok edin. Bu köye, adalılar göç edecekler yakın zamanda. Daha bunun gibi yedi köye daha gideceğiz. Çabuk olun vire! ".

VI. BÖLÜM

"insanlık ayıpları - soykırım"

Urla'nın Zeytinler Köyünde 19 Mayıs 1919 günü yapılan insanlık dışı, öldürülen, ırzına geçilen, masum köylüler ile ilgili haberler, bir dalga gibi Yunan, Rum ve Türk ahali ve askerler arasında hızla yayılmaya başlamıştı. Bu vahşeti tasvip eden Yunan askerlerine göre, yüzlerce yıl önce Orta Asya bozkırlarından gelerek Batı Anadolu'da Türkler gelmeden önce yaşayan sözde yaklaşık 13 milyon Yunanlıyı hunharca katletmenin intikamı ancak böyle alınmalıydı. Onlara göre; Türkler ya atalarının yaptıklarının diyetini ödeyecek ve bu topraklarda ölecekler ya da geldikleri Orta Asya bozkırına arkalarına bile bakmadan gideceklerdi. Bu kin ve nefretle yoğrulmuş Yunan askerleri ve Rum çeteleri, önlerine çıkan her Türk'ü acımasızca yok etmek, atalarının hatırasına adanan bir kutsal görevi haline gelmişti.

Türklerin kanı, malı, canı, ırzı ve verimli Anadolu toprakları, helal kılınmıştı. Yok etme arzularının iştahını kabartan, insanlık dışı vahşetlerine haklı sebepler yaratan mantığa uygun açıklamaları buydu.

Yunanlıların Anadolu'nun Ege kıyılarını işgal ettikten sonra ileri harekâta devam ederek ele geçirmiş oldukları Trakya ve Anadolu'nun iç kesimlerinde yaşayan silâhsız ve savunmasız Türk halkına karşı yapmış oldukları vahşet ve zulümler dünya zulüm tarihine belgelerle geçmiştir. Olayların gelişmesine, vahşet ve cinayetlere bakılırsa, Yunanlıların amaçlarının, ele geçirmiş oldukları Türk topraklarında tek bir Türk kalmayacak şekilde katlederek soykırım gerçekleştirmek niyetinde oldukları anlaşılmaktadır.

Yunanlıların soykırım amaçlı girişimlerinde İtilâf Devletlerinin de katkıları olduğunu gözardı edemeyiz. Yunanlılar Mondros Mütarekesi'nin öngördüğü şartların oluştuğu bahanesiyle özellikle İngilizlerin tahrik ve kışkırtmasıyla hareket ederek Türkler üzerinde soykırım uygulamaya başlamışlardır. Türklere karşı acımasız bir mücadele içerisine giren Yunanlılar, teşkil ettikleri ve devlet tarafından da desteklenen çeteler vasıtasıyla katliam ve tecavüz hareketlerine girişmişlerdir.

Yunanlıların gerek Anadolu'da gerekse Trakya'da Türk ahaliye karşı yaptıkları zulümleri ve akla hayale gelmeyen korkunç işkenceleri tarih şimdiye kadar hiç kaydetmemiştir. İşgal ettikleri yerlerde Türk halka akıllarına gelen en kötü işkenceleri yapmışlar, zulümleriyle sadizme varan davranışlar sergilemişlerdir. Bu işkenceleri görmek ve hatta işitmek bile en soğukkanlı insanın bile tüylerini ürpertecek derecede korkunçtur. Yunanlılar işgal ettikleri her yerde halkın mallarını gasp ve yağma ettikleri gibi, sahiplerini de kendilerinin icat ettiği işkencelerle öldürüyorlardı. Bu zulümleri aşağıdaki şekliyle maddelemek mümkündür:

1- İnsanları diri diri ateşe atmak,

2- Ahaliyi topluca veya teker teker sopa ile telefon telinden yapılmış kayışlarla dövmek,

3- Baş aşağı asarak, ağzından kan gelinceye kadar dövmek,

4- Yine baş aşağı asarak altında ateş yakarak dumanla boğmak,

5 Ellerini kollarını bağladıkları kadınların, kilotlarının içine kedi koyarak işkence yapmak,

6- Köy, kasaba ve orman yakmak,

7- Köylülerin ekinlerini yakmak,

8- Cami ve mescitleri tahrip etmek,

9- Yağmaladıkları eşyalardan kalanları yakmak,

10- Yakaladıkları kadınların ırzlarına geçmek.

Trakya, Marmara, Ege ve İç Anadolu'da izlemiş olduğumuz Yunan vahşet ve cinayetleri hemen her yerde aynı tarz ve sistemde planlı ve Yunan üst makamlarınca verilen emirlere uygun olarak yapılmıştır.

Başından beri izlenilen Yunan vahşet ve zulümlerin bir analizi yapıldığında bütün işgal bölgelerinde işlenen vahşet, zulüm ve cinayetleri dört başlık altında toplamak mümkündür.

1- Gasp ve yağma

2- Irz, namus ve mukaddesata saldırı

3- Yakma ve yıkma

4- İşkence ve katliam

Yunan birlikleri işgal ettikleri bir yerde ilk önce halkın elinde bulunan ulaşım araçlarını ve hayvanlarını gasp ediyorlardı. Bundan sonra evleri basıp, kendi işlerine yarayacak halı, kilim, ziynet eşyası ne varsa halkın elinden zorla alıyorlardı. Karşı koyanlar en ağır şekilde işkence ediliyor, birçoğu da öldürülüyordu. Mağaza ve dükkânlar da Yunan baskınından nasibini alıyordu. Halkın aç kalacağını düşünmeden ellerindeki bütün yiyecek maddelerini, zahirelerini ve hayvanlarını alıyorlardı. Bundan sonra işlerine yaramayacak olanları yakıp yıkarak kullanılmaz hale getiriyorlardı.

Yunanlılar işgal ettikleri her yerde muhakkak gasp ve hırsızlık yapıyorlardı. Hırsızlık adeta Yunanlıların resmi sıfatı durumundaydı. Sadece resmî raporlara geçen maddi kayıplar bile trilyonlara varacak değere sahiptir. Burada sayıları binleri bulan hırsızlık, gasp ve yağma faaliyetlerinden bir kısmını vermekle yetineceğiz. Sadece verilen bu örnekler bile Yunanlıların bu konudaki alçaklığını meydana koymaya yeter de artar bile. Karşılaşılan bu olaylar neredeyse her Yunan askerini hırsız konumuna sokmaktadır. Çünkü işgal edilen hiçbir yer yoktur ki, orada küçük bile olsa, bir hırsızlık vakası olmamış olsun.

Yunanlılar işgal ettikleri yerde ilk önce halka işkence yapıyorlardı. Yapılan vahşet ve işkencelerin, soygun ve tecavüz safhası geçtikten sonra yapacakları tek bir şey kalıyordu. O da evi, köyü, kent ve kasabayı ateşe vermekti. Nitekim bu düşünce ile gerek Anadolu'da gerekse Trakya'da birçok ev, işyeri hatta bütün köy yakılmıştır. Yunanlıların özel olarak, yakmak ve yıkma için yetiştirilmiş birlikleri vardı. Bunlar özel silah ve teçhizatla donatılmış, üniformalarında kırmızı bantlar taşıyan askerlerden oluşan birliklerdi.

Yunanlıların yangın çıkarmadaki amaçlarından birisi de ruhlarında varolan vahşet duygusunun sesine kulak vererek, köyü içinde barınan halkı birlikte yakıp katliam gerçekleştirmekti. Bunun için de çeşitli yerlerde görüldüğü üzere yangın mahalline hakim noktalara, giriş çıkış yollarına silahlı nöbetçiler konularak, yangından kaçmaya veyahut eşyalarını kurtarmaya çalışan halkı öldürmek veya tekrar yanan evlere sokarak onunla birlikte diri diri yakmaktaydılar.

İşkence arzusu, Yunan askerleriyle Rum ve Ermeni çetelerinin ilkel ve vahşî arzu ve duygularıdır. Öldürmeye kastettikleri kimseyi önceden çeşitli şekillerde işkenceye tâbi tuttukları gibi öldürdükten sonra da parçalama, organlarını kesme, koparma veya ağaçlara asma gibi insanlık dışı davranışlarıyla, nereden geldiğini kendilerinin de cevaplayamayacakları bir çeşit kin ve garez duygularıyla yapıyorlardı.

Hiçbir suçu olmayan tarlasında çalışan veya köyden kente gelen zavallı Türk halkını keyif için öldürüyorlardı. Öldürdükleri hamile kadınların karınlarını süngüyle yarıp, masum ceninleri çıkardıktan sonra parçalıyorlardı. Bütün bu günahsız insanların onlar nazarında bir tek suçu vardı "Türk olmak ve Türk kanını taşımak."

Üç yıldan fazla Yunan işgali altında bulunan Ege bölgesindeki halkın maruz kaldığı vahşet, cinayet ve işkencelerin tamamının anlatılması imkânsızdır. Çünkü belgeleri ele geçmemiş veya belgelenmemiş daha nice vahşet ve cinayetler meçhulün karanlık sır perdesi altında kalmıştır. Ancak, Başbakanlık Osmanlı Arşivi ile Genel Kurmay Başkanlığı ATASE Arşivi kaynaklarında Yunan zulmü ile ilgili binlerce belge mevcuttur.[32]

Elefterios Venizelos'un devamlı gayretleri ve diğer büyük devletlerin desteklemesi sonucunda İzmir'e Yunan askeri çıkarılması 15 Mayıs 1919 tarihinde uygulamaya konuldu. Yunan istila gücü, Amerikan, İngiliz, Fransız ve Yunan savaş gemilerinin koruyuculuğunda İzmir'e çıktı. Yunanlıların İzmir'de giriştiği kırım harekâtı tüyler ürperticiydi.

Yunan askerlerinin bu insanlık dışı hareketlerine Rum halk da iştirak etti. Hükümet Konağından ve kışladan esir alınarak çıkarılan sivil memur ve askerlerin rıhtıma götürüldüğü esnada yerli Rumlar, taş sopa ve demirlerle saldırmışlar ve birçok esiri feci bir şekilde öldürmüşlerdir. Hızlarını alamayan Rumlar öldürdükleri savunma-

---

32 www.devletarsivi.gov.tr

sız insanların bedenlerini parçalayarak vahşi duygularını tatmin etmişlerdir. İçindekilerin esir alındığı kışla, hükümet konağı ve diğer resmî daireler talan edilmiş, kalemlere varıncaya kadar hiçbir şey kalmamıştır. İzmir'in içinde ve dolaylarında tenha mahallelerde ele geçirilen Türk polis ve jandarmalar katledilmiştir. İşgalin ilk 48 saatinde İzmir ve banliyölerinde 2000'den fazla Türk katledildi. Kordon'da ve rıhtımda öldürülen ve yaralananların çoğu denize atılmıştır. Bu katliamdan on beş gün sonraya kadar Körfezden cesetler çıkarılmış, hatta zaman zaman birkaç cesedin birbirine zincirle, demir telle bağlı olduğu görülmüştür.

Uygarlığı ve insan haklarına saygısıyla övünen Batılıların teşvik ve onayı ile vahşi hayvan sürüsü gibi İzmir'e çıkan Yunanlılarla yerli Rumların işkence, katliam ve yağmalarını İtilaf devletleri askerleri, körfeze demirlemiş gemilerinin güvertelerinden dehşetle izlemişlerdir. Bazı İngiliz ve Amerikan denizcileri bu hale insanlık adına dayanamayarak, denize atlamış Türklerin yardımına koşmak istemişlerdir. Fakat komutanları buna izin vermediği gibi gemilerin şehre bakan tarafına tente çekmek suretiyle bu kanlı manzarayı kendi askerlerinin gözlerinden saklamaya çalıştılar.

Yunanlılar, İzmir'den sonra 19 Mayıs'ta Urla'yı 20'de Çeşme'yi, 21'de Torbalı'yı, 22'de Menemen'i, 25'te Manisa, Bayındır ve Selçuk'u 27'de Aydın'ı, 28'de Tire'yi, 29'da Turgutlu ve Ayvalık'ı, 4 Haziranda Nazilli'yi, 5'te Akhisar'ı, 12'de Bergama'yı işgal ettiler. Çünkü Yunanlılara göre bölgede tutunmanın tek yolu buralardaki Türk gücünü ortadan kaldırarak onların daha doğuya çekilmesini sağlamaktı. Esasen Megali İdea'nın amacına ulaşabilmesi için de böyle bir hareket tarzı gerekiyordu.

Avrupa kamuoyuna İzmir'i işgalin amacını, bölgedeki asayişi temin etmek olarak duyuran Yunanistan yeni işgallere de mazeret bulmakta zorlanmadı. İzmir'den kaçan sivil ve asker Türklerin intikam almak bahanesi ile iç kesimdeki Rumları katledebileceklerini belirterek Avrupa'dan gelebilecek olası bir tepkiyi bertaraf ediyordu. Bunu yanı sıra Mondros Mütarekesinin 7. maddesi de Yunanlılar için çok iyi bir kozdu.

Yunan askerleri işgalin hemen ardından sergileyecekleri vahşetin hazırlıklarına başladılar. İlk önce Türk ahalinin tamamen silahsız kalması için, silahını teslim etmeyenlerin kurşuna dizileceğini ilan ettiler. Bu şekilde toplanan silahları yerli Rumlara dağıttılar. Müslümanın oturduğu semtlerin sularını kestiler; yangın çıkarmak için belli noktalara gaz tenekeleri koydular; gayrimüslim halka, Müslümandan ayırmak maksadıyla, fes yerine zorla şapka giydirerek ev ve işyerlerini işaretlediler. Rum, Ermeni ve Yahudilere şapka giymelerini tembih ederek, bu kimselerin yanlışlıkla yağmalanmasını engellemek için iş yerlerini gösterir levhaların da Rumca yazılmasını emrettiler. Müslümanın olduğu mahallelerin sularını, çıkartacakları yangından birkaç gün önceden kestiler. Katliam esnasında hiçbir Türk'ün kurtulmaması için, Türklerin Hıristiyan evlerine sığınıp korunmalarını yasakladı.

Hazırlıklarını tamamlayan Yunanlılar Türk halkının ev ve iş yerlerine ateş açmaya başladılar. Birçok Türk evi yağma edildikten sonra ateşe verildi. Bunu müteakiben Türk evlerine karşı top atışına başladılar. Evlerin içinde bulunan Türkler, alevlerden kaçmak için dışarı çıktıklarında yunan askerleri tarafından makinalı tüfeklerle öldürülmüşlerdir. Ayrıca yerli Rumlar da mevcut silahlarıyla bu katliama ortak olmuşlardır. Aydın Merkez Komutanlığının 57. Tümen Komutanlığına göndermiş olduğu raporda Aydın'da cereyan eden olayları şöyle anlatmaktadır.

Hava karardıktan sonra bu büyük evin kapısı kırılarak 14 kadar Yunan Evzon askerleriyle birkaç yerli Rum içeriye girip odada bulunanları soyduktan sonra 10-14 yaşlarında bulunan kızların dördünü ayırıp götürmek istediler. Kızların annelerinin yalvarmalarına karşılık Türkçe olarak edepsizce ve münasebetsiz sözler sarf ederek katliama başladılar. Üç kadınla iki erkeği öldürürken üç kız ve bir erkeği de yaraladılar... Çocukları anneleriyle birlikte kesmek ve bunların mahrem yerlerini açmak, burun, kulak, el ve ayaklarını kesmek gibi vahşet ve cinayetler bu canavarların nazarında hiçbir şey değildir." Aydın'da şehri terk etmek üzere olan Yunan kuvvetleri ve Yerli Rumlar 205 kişiyi daha şehit etmişlerdir. Yunan işgalinden kurtularak özgürlüğe kavuşmanın bedeli maalesef Aydın'da da çok ağır olmuştur. Kentte 11500 ev, 50 cami ve mescit 400 kadar mağaza ve dükkan 130 yağ ve pamuk fabrikası, 160 okul ve 20 resmi bina yakılmış ve yıkılmıştır.

Hazırlık aşaması ve oluşumuyla sistemli bir şekilde devam eden Yunan vahşeti, kısa zamanda Aydın'ın ilçe ve köylerine de yayıldı. Bilhassa Nazilli, Germencik ve Söke ilçeleri çok şiddetli işkence ve cinayetlere sahne oldu. 3 Haziran 1919'da hiçbir mukavemetle karşılaşmadan Nazilli'ye giren Yunan askerleri iğrenç ve vahşet dolu hareketlerine burada da devam etmişlerdir.

25 Haziran 1919'da İzmir'den aydın istikametine giden 97 müslüman ailesini taşıyan yolcu treni Aziziye istasyonu Şimendifer muhafızı bulunan Yunan askeri müfrezesi nezdinde derhal durdurulup içinde bulunan yolculardan 67 erkek, elleri kolları urganla bağlı olarak Aziziye tüneline götürülmüş ve üzerlerine Yunan askerleri tarafından yaylım ateşi açılmıştır. 30 İslam kadınına gelince Aziziye treninde bulunan Rumlar, Çirkince Bucağında Yunan askerleriyle beraber İslam kadınlarının ırzlarına tecavüz etmişlerdir. Bu örnekler o civarda yaşanan binlerce olaydan sadece bir kaçını anlatmaktadır. Yunan askerleri ve yerli Rumlar insanlık dışı davranışlarıyla bölgedeki Türk nüfusunu azaltarak, hakimiyetlerini tehditlerden korumayı amaçlamışlardır.

Aydın'ın işgali sırasında Yunanlıların yapmış olduğu vahşet ve cinayetler Aydın'dan çekilip gittikleri güne kadar sürüp gitmiştir. Facialara tanık olan Aydın tahrirat kalemi reisi Seyfi Efendi, Musluzade Hacı Ahmet Efendi ve Aydın nüfus memuru Süleyman Rüştü Efendiler de feci olayları şöyle anlatıyorlardı:

Yunanlılar şehir dışında Türk çeteleri olduğunu bahane ederek katliama karar vermişlerdi. Bu kararlarını sokaklara beyannameler asarak ilân etmişler ve Karacaahmet, Cuma, Ramazan ve Terziler mahallelerinde ilk yangını çıkarmışlardı. Yangından kaçan, evinden dışarı fırlayan Türkler süngü ile katlediliyor veya yanmakta olan evlerinin içine atılıyorlardı.

Aydın mutasarrıfından alınan resmî bilgilere nazaran kentte 11 500 ev Yunanlılar tarafından yakılmıştır. Bundan başka 50 cami, mescit ve tekke 400 kadar han, hamam, mağaza ve dükkân, 130 yağ ve pamuk fabrikası, 160 okul, medrese, 20 resmî bina yakılmış ve yıkılmıştır.

Düşmanın çekilmesi anında 205 kişi daha şehit edilmiştir. Şehir bir harabe haline gelmiştir. Bu esnada Aydın'da bulunan Aydın Milletvekili Doktor Mazhar Bey düşman zulümleri hakkında geniş bilgi vermiştir. Yunanlılar Aydın'ı terk etmeden bir hafta evvel halkın eşyalarını istasyonda depolamış ve bir hafta boyunca devamlı olarak yakma ve yıkma işleriyle meşgul olmuştur. Yakma ve yıkma işi bittikten sonra katliama başlayacak olan Yunanlılar, Türk askerinin iki koldan Aydın'a girmeleri üzerine yakılmak üzere fabrika ve sair büyük binalara kapattıkları halk canlarını kurtarabilmiştir. Ancak Yunanlıların istasyonda depolayıp götüremedikleri halka ait mal ve eşyayı tamamen yakmışlardır.

1919 Ağustosu başında Yunanlılar, Aydın ovasındaki bütün köyleri yaktıktan sonra Aydın şehir merkezinde de yangınlar çıkardılar. Kaçamayan Türkleri hunharca öldürdüler. Germencik'te isimleri tespit edilebilen bin sekiz yüz Türk genç öldürüldü. Hızırbeyli köyündeki erkekler camide toplu olarak şehit edildiler. Katliamın durdurulması ve işgalin kaldırılması için Museviler de dahil Aydın halkının ileri gelenleri İtilaf Devletleri mümessillerine telgraflar çektiler.

Avrupa Konferansı'na güvenen halktan hiçbir direniş görmeden Nazilli'yi işgal eden Yunan kuvvetleri, dinî ve millî değerleri rencide edecek davranışlarda bulunuyorlardı. Türkların evlerine zorla girip kadınlara tecavüz ediyor, değerli eşyalarını gasp ediyorlardı. Yunan askerlerini şikayet edenler derhal tutuklanıyordu. Evinde silah çıktığı bahanesiyle ve hiçbir tahkikat yapılmadan birçok Türk hapsedildiği gibi bazıları da kurşuna diziliyordu.

Bu yerlerdeki bütün Türk halkına ait olan arazi işletilmekte ve sahiplerinden üç misli ve üç senelik vergi ödenmesi talep edilmekteydi. Halkın el ve avuçlarında kalan son para varlığı da alınmakta olduğu gibi kesim ve iş hayvanlarına varıncaya kadar sahip oldukları ne varsa hepsi halkın elinden alınıyordu.

Hemen her köy ve kasabada açılan meyhaneleri işleten Rum meyhanecileri İslam halka "şu kadar rakı borcun var" diyerek, bir kuruş borcu olmadığı ve hatta çoğunun öteden beri ağzına içki koymadığı halde Türk halkı soymak amacıyla istedikleri parayı zorla alıyorlardı. Vermeyenler hakkında bölgedeki Yunan komutanlıklarına başvurarak o zavallı İslâm halkın eşyasını sattırıp, yalan söyleyip inkâr ediyorlardı. Asılsız nedenlerle halka dayak atılıp işkence ettikten sonra bilinmeyen bir yere sürgün olarak gönderiyorlardı.

İşgal esnasında Nazilli halkından Mehmet Turgut adındaki şahsın genç kızı su almak üzere mahalle çeşmesine giderken yolda karşısına çıkan Yunan askerleri tarafından yakalanıp zorla ırzına tecavüz edildikten sonra zavallı kız aynı yerde öldürülmüştür. Bu arada birçok genç kadın ve kızların da ırzlarına tecavüz edildikten sonra Atina'ya gönderilmişlerdir.

Neticede hemen her gün periyodik ve sistemli bir yok etme siyasetiyle öldürülmekte olan kadın, erkek Türk halkı hayatı ve namusu, servet ve mukaddesatı gibi en kutsal varlıklarına taarruz ve tecavüz edilmesi, alışılmış olaylar sırasına girmiş ve az zaman içinde bu talihsiz halktan hiç kimse ve serveti dahil hiçbir şey kalmayacak şekilde mahvedilmişti.

Aydın ve yöresinde Yunanlılar tarafından yapılan vahşet ve zayiat. (İşgal anında olup çekilmedeki zayiat bu rakamlara dahil değildir.)

İnsan

Ölü : 415

Yaralı : 22

Dayak ve işkence : 112

Beraber Götürdükleri : 42

Irza Tecavüz : 90

Bekâret Giderme : 14

Çocuk Düşürme : 13

Yakılan Binalar

Ev : 28321

Mağaza ve Dükkân : 6965

Resmî Bina : 140

Dinî Bina : 91

Mal ve Eşya

Koşum Hayvanı : 9146

Kesim Hayvanı : 18465

Ürün : 125613 Ton

Zayiat Değeri

Gayri menkul : 281 970 000 Osmanlı Lirası

Mal ve Eşya : 67 045 061 Osmanlı Lirası

Yukarı Nazilli'de 4000, aşağı Nazilli'de 1500 ev bulunmakta idi. Yukarı Nazilli'den 3000, Aşağı Nazilli'den de mevcut evlerin 2/3'si yakılıp yıkılmış ve ilçe namına hemen hemen hiçbir şey kalmamıştı. Evvelce Yukarı Nazilli'de 12000, Aşağı'da ise 5000 nüfus varken sonunda kentte ancak 3000 kişi kalmıştı. Düşman çekilirken ilçeyi yakmış, bu esnada 300 kişiyi öldürmüş ve cesetler çoğunlukla kuyulardan çıkartılmıştı.

15 Mayıs 1919'da başlayan ve üç sene dört ay kadar devam eden Yunan işgalini anlatan en iyi kaynaklardan biri de o günlerde yayınlanmakta olan gazetelerdir. Bu gazetelerden biri olan Hâkimiyet-i Milliye (Ulus) gazetesinin verdiği bilgiye göre, "Manisa'da 10.700 ev, 13 cami, 2728 dükkan, 19 han, 16 bağ kulesi, 3 fabrika, 5 çiftlik binası 1740 köy evi ateşe verilerek yakılmıştır. 3.500 kişi ateşte yakılarak, 855 kişi de kurşuna dizilerek öldürülmüştür. Manisa'nın içinde 300'den fazla İslam kızına tecavüz edilmiş ve bunların bir çoğu alınıp götürülmüştür. İl sınırları içinde bulunan tüm hayvanlar sürülüp götürülmüştür. Beraberlerinde alıp götürdükleri genç kızlardan hiçbiri geriye dönmemiştir. Halkın ziynet eşyası ve paraları kamilen alınmıştır. Köyleri yaktıran ve katlettirenler ise Yunan mevki komutanı Albay Paguraci ile muavini yarbay Kalipos'tur.

Manisa yangınının zarar ve ziyanı 50.000.000 lirayı (1921 yılındaki para değerine göre) geçmektedir. Ayrıca Rumlar, Manisa'da İslam halkın dinî ve millî duygularını tahrik ve tahkir etmişlerdir. Örneğin mezarlık kapıları kırılarak mezarlar üzerinde hayvan sürüleri gezdirilmiştir. Rumlar Sultan Tepesi'ne ve Ulu Camiye zorla girmişler Kuran-ı Kerim cüzlerini parçalamışlar, caminin minaresine çıkarak Rum mahallelerine mendil ve şapka sallamışlar ve şehrin tarihi saat kulesine çan takmışlardır.

Manisa için anlatılan feci olayların çevre ilçelerde de aynen tekrar edildiği anlaşılmaktadır. 6.000 haneli Turgutlu'da 5800 evin tamamen yakıldığı ve 1200 civarında insanın katledildiği beyan edilirken ateşe verilen Alaşehir'de ise 4000 evden sadece 100 tanesi sağlam kaldığı ve yangından canını kurtarmak isteyenlerin kokak başlarındaki Yunan askerlerine hedef olduğu anlatılmaktadır. Alaşehir'deki yangında 3000 dükkan, 10 cami, 20 mescit tamamen yanarken, şehirden istasyona götürülen 300 kişilik kadın kafilesi Yunan makinalı tüfeklerinin ateşi altında kalmış ve çoğu ölmüştür.

Salihli, Akhisar, Gördes, Bergama, Menemen, Kınık gibi ilçeler ve bunlara bağlı köyler de Turgutlu ve Alaşehir gibi Yunan barbarlığına sahne olmuşlardır. Binlerce ev, işyeri, cami, mescit, okul ve istasyon yıkılmış yüzlerce insan insanlık dışı işkencelere maruz kalmış ve birçoğu da öldürülmüştür. Sadece Menemen'in içinde 300, civarında da 700 kadar Türk şehit edilmiştir.

Yunan kuvvetleri Manisa'yı işgalleri sırasında bağ ve bahçelerinde çalışırken tutuklanan yüzlerce Türk'ü İzmir üzerinden Atina'ya gönderdiler. Mısır'da esirken İngilizlerce serbest bırakılan yüz altmış kadar Türk de Manisa'da Yunanlılar tarafından tekrar esir edildi. Ağır şartlarda çalıştırılan bu esirler, gıdasızlık ve işkence yüzünden vefat ettiler.

Yunanlılar Manisa'yı terk ederken, daha evvel hazırlanmış olduğu anlaşılan plân gereğince, Yunan Merkez Komutanı Yagorci ile Kurmay başkanının emir ve idaresi altında olmak üzere hareketle yangın, göğüsleri kırmızı işaretli ve başları siyah kalpaklı yangın postaları tarafından başlatıldı.

Şehir ateşe verilmeden 3 gün evvel Rum ve Ermeniler göç etmeye başlamış, hatta Musevilerin bile son gün göç etmelerine izin verildiği halde, Türk halkın şehri terk etmelerine engel olunmuştur. Yangın 6 Eylül 1922 akşamı ilk olarak kışlada çıkmış sonra çarşıya benzin dökülüp bombalar atılarak yakılmaya başlamış ve bu esnada hemen yangını söndürmeye gelen halka Yunan askerleri tarafından ateş açılarak halkın bir kısmı katledilmiştir. Yangın az zamanda birçok yerlerden çıktığı için halk elbise ve eşyalarından hiçbir şey kurtaramamıştır.

Kadın, erkek, çoluk, çocuk yarı çıplak ve perişan bir halde dağlara, ovalara dağılan biçareler yollarda Yunan çeteleri tarafından soyulduktan sonra birçoğu da katledilmiştir. Bununla beraber çok sayıda kadın, ihtiyar ve çocuk şehirden dışarı çıkamadıkları için alevler içinde yanarak yok olmuşlardır. Gerek yangından evvel soygun yapılırken, gerek yangın esnasında Türk halk dağılırken çok feci olaylar meydana gelmiştir.

Tire kasabasında 18, Ödemiş'te 60, Akhisar, Kırkağaç, Soma kasabalarında ve Gördes'te 83 köy ve 800 evi, ayrıca Kayacık Bucağını yakmışlardır. Binlerce halk evsiz kalmıştır. Bu faciadan kurtulabilen halk da malları gibi canlarından da emin olmadıklarından dağlara ve ormanlara sığınmışlardır.

Ödemiş'i işgale gelen Yunan askerlerine mahalli kuvvetlerin karşılık vermesi üzerine, takviye alan Yunan birlikleri civardaki birçok köyü ve kaza merkezindeki çok sayıda evi ateşe verdiler. Ele geçirdikleri Türkleri şehit edip, mallarını yağmaladılar. Bunun üzerine halkın bir kısmı göç etmeye başladı. Ödemiş ve Tire dışında yine birçok işgal altındaki bölgelerde gerek Yunan askerlerinin, gerekse bundan cesaret alan yerli Rumların devleti hor görme, millete hakaret, ırza, mala tecavüz ve taşkınlıkları had safhaya ulaşıyordu.

Yunan mezalimi günden güne artmış, 3 Mart 1920'de Bozdağ tarafından taarruza geçmiş olan Yunan işgal kuvvetleri, Ödemiş'e bağlı 5-6 köyü yakmışlar, tamamı Türk olan halkın yoğun top ateşi altında canını zor kurtarmış ve Salihli taraflarına göç etmiştir. Yunanlılar, Bozdağ civarındaki köylerden kaçamayan erkekleri katletmiş, kadınların da bir kısmının ırzına geçerek öldürmüşlerdir.

Gördes ilçesi Kuvayı Milliye'nin yatağı olduğu iddiasıyla, ilçenin yakılmasına memur edilen Yunan askerî kıtaları tarafından top ateşine tutularak tamamen yakılmıştır. Yangın sırasında şehirden çıkamayan birçok yaşlı, kadın ve çocukların da yandığı görülmüştür.

Geri çekilme anında Yunanlılar tarafından yakılan Gördes ilçesinde yalnız 27 ev ile ilçe dışında bulunan jandarma binası ve halka ait olan bağlarda birkaç ufak kulenin yangından kurtulduğu görülmüştür. Halkın yağma edilen eşyası dışında kalanlarının ve hükümet dairelerindeki tekmil ve mefruşatın yangında kül olduğu tespit edilmiştir.

Bu felâketten sonra Demirci'ye 1500 muhacir sığınarak 500'ünün daha sonra geri döndüğü ve 1000 kadar nüfusun o tarihte köy olan Demirci'ye yerleştirildikleri Dâhiliye Nezareti'nden Erkanı Harbiye'yi Umumiye Reisliği'ne bildirilmiştir.

Gördes'te yapılan Yunan vahşet ve zulümleriyle ilgili olarak bir başka belge (Hakimiyeti Milliye Gazetesi) yukarıdaki olayları teyit ederek ayrıca şu bilgileri vermektedir:

Gördes kasabası kamilen yakılmış, 1500 evden ancak 27 ev kurtulabilmiştir. 10 cami ile bir medrese de yakılmıştır. Kasabadaki evlerin tüm eşyası Yunanlılar tarafından gasp edilmiştir. Akhisar civar köylerinde yaşayan Hıristiyanların arabalarıyla bu eşyalar götürülmüştür. Gördes kasabasıyla Kayacık köyünde 60 kadar kadın ve kızın namusuna tecavüz edilmiştir. Gördes kasabasıyla civar köylerde kadın ve erkek 23 kişi şehit ve 113 kişi de çeşitli yerlerinden yara almışlardır.

İlçe Yunanlılar tarafından baştan başa yakılmış, halkı kısmen öldürülmüş, kadınlara tecavüz edilmiş, yapılan zulüm ve tahribat tespit edilememiştir. Alaşehir'den itibaren Manisa, Salihli, Turgutlu ve bu bölgedeki köyler de yakılmış, vahşet, zulüm ve cinayetler aynı yöntemlerle yapılmıştır. Bozköy kamilen yanmış, köyün görkemli camii de bu arada tahrip edilmiştir. Köyde Kayapınarlı bir kişi kurşunla öldürülmüştür. Köye ait tekmil erzak ve hayvanlar zorla alınarak götürülmüştür.

Bergama'yı işgal eden Yunanlılar, Türkleri katlederek, ırzlarına tecavüz edip, mal ve paralarını gasp ettiler. Bu mezalim yüzünden 50 binden fazla Türk sefil bir halde mülteci durumuna düştü.

Bandırma'nın işgalinin ardından, yerli Ermeni ve Rumlardan çok sayıda kişi Yunan kuvvetlerine asker olarak katılmış, bir kısmı da çeteler oluşturmuştu. Bu gelişme üzerine harekete geçen efeler, oluşturdukları kuvvetlerle kısa sürede bu çeteleri bertaraf etmişlerdir. Bandırma'da bulunan Yunan kuvvetleri işgal süresince halka zulmetmişler, olmadık hakaret ve saldırılarda bulunmuşlardır. Bedelinin ödeneceğine dair ilanat vermelerine rağmen, halkın ekinine, hayvanlarına el koyarak kendi gemilerine yüklemişlerdi. Bilhassa Ermeni çeteciler halktan ve askerimizden pusuya düşürdüklerini hunharca katletmişlerdi. Bu saldırılara karşı bölgede hareket halinde olan Bacak Hasan, Talaşmanlı Hurşit, Pıtır Hüseyin, Gönenli Hasan gibi namlı efeler Rum ve Ermeni çetelerine bölgeyi dar etmişlerdir.

Bandırma'da bulunan Yunan Merkez kumandanı, Erdek ve Edremit diğer bazı kazaların mali işlerine müdahale ediyor, mal sandıklarından cebren para alıyordu. Buralardaki düyûn-u umumiye depolarında bulunan yağ ve zeytinlere el koyuyorlardı. İzmir'den gelen bir Yunan memuru, beraberindeki subayla birlikte Karesi livası defterlerini kontrol ediyordu.

Yunanlıların Bandırma ve yörelerinde yapmış oldukları zulüm ve vahşet sonucu meydana gelen zarar ve ziyan şöyleydi:

Ölü sayısı: 890

Yaralı: 1219

Dayak ve işkence: 2228

Irza tecavüz: 113

Bekâret Giderme: 94

Yakılan ve Yıkılan Ev sayısı: 6134

Mağaza ve dükkân: 1357

Resmî Daire: 32

Dinî bina: 28

Mal ve Eşya

Koşum hayvanı: 4819

Kasaplık hayvan: 1.3424

Mahsul : 116.232 Kilo

Zayiat Değeri

Gayrimenkul: 54 688 055 Lira

Menkul: 45.312.045 Lira

TOPLAM : 100.000 000 Lira

Yunanistan Batı Anadolu'daki vahşet ve zulümleri Avrupa kamuoyu tarafından öğrenilmeye başlanmıştı. Bu gelişme Venizelos'u rahatsız ediyordu. Çünkü o sıralarda Paris'te devam eden sulh görüşmelerinde Yunanistan zor durumda kalabilirdi. Onun için Venizelos Yunanistan'ın Batı Anadolu'daki vahşetine ilişkin bütün haber, iddia ve eleştirileri asılsızlıkla suçlayarak reddediyordu.

Fakat söz konusu vahşet saklanacak ya da gözardı edilebilecek boyutlardan çoktan çıkmıştı. Sadrazam Vekili Mustafa Sabri 15 Temmuzda Yunanlıların mezalimde bulundukları yerlere bir tahkik komisyonunu gönderilmesi için telgrafla ricada bulundu. Mustafa Sabri'nin bu talebi İtalya'nın da ısrarı sonucu Paris Konferansındaki Yüksek Konseyin 18 Temmuz tarihli toplantısında ele alındı. Toplantı sonucunda tahkik komisyonunun kurulması kararlaştırıldı. Komisyonda İngiliz, Fransız, Amerikan ve İtalyan temsilcileri bulunacaktı. Yunanlılara ve Türklere gözlemci gönderme izni verilmiş olmasına rağmen bu kişilerin heyetin asıl toplantılarında bulunmalarına izin verilmedi. Amaç, tanıkların korkmadan ifade verebilmelerini sağlamaktı. Bunun yerine heyete, bütün gerekli verilerin, yani muhtemelen tanıkların isimleri olmaksızın ifade tutanaklarının gözlemcilere teslim edilmesi talimatı verildi. Türkiye'den Yarbay Kadri, Yunanistan'dan da Albay A.Nazarakis, komisyonda gözlemci idiler.

İzmir faciasını araştırmakla görevli komisyon Amiral Bristol'un başkanlığında çalışmalarına başladı. Komisyon kısa zamanda Batı Anadolu'nun bir kısım şehir ve kasabalarını dolaştı. Cephe gerisinde zulme uğramış Türk köylüsü ile yunanlıların elinden kaçmayı başarabilmiş Türk insanları ile konuşup şikâyetlerini dinlediler. Yakıp yıkılan yerleri dolaşıp gözleriyle gördüler. Tecavüze uğrayan kadın ve kızlarla konuştular. Bütün bu incelemeler sonucunda hazırladıkları geniş kapsamlı raporu 13 Ekimde 8 Kasım günü yüksek Konseye sundular. Rapor sadece Yunanlıların yaptıklarını değil, öncelikle İzmir'e asker gönderilmesi kararını itham eden son derece sert bir belgeydi. 12 Ağustos ve 6 Ekim 1919 tarihleri arasında yapılan tahkikata göre, her maddesi önemli olan bu raporun bazı maddeleri şunlardır:

Madde 1: Mütarekeden beri, Aydın vilayetinde Hıristiyanların emniyeti tehdide maruz kalmamıştı... Yani Hıristiyanların katliama uğrama korkuları yerinde değildi.

Madde 2: Aydın ve bilhassa İzmir illerindeki emniyet şartları, İzmir tabyalarının mütareke şartlarının 7 numaralı maddesine göre işgalini gerektirmiyordu. Vilâyet içerilerindeki durum da, müttefik birliklerin İzmir'e çıkarma yapmasını icap ettirecek gibi değildi.

Madde 5: İzmir'in Yunan kuvvetleri tarafından işgali, barış konferansı tarafından emredilmişti. İşgal emirleri, bu konferansı temsil eden Amiral Calthorpe tarafından verilmişti. İzmir şehri, 5 Mayıs 1919'da Amerikan, İngiliz, Fransız, Yunan ve İtalyan Deniz Kuvvetleri'nin himayesindeki, Yunan kuvvetleri tarafından işgal edilmişti.

Madde 8: Yunan komutanlığı Yunan kuvvetlerinin şehir içinde yürümesi sırasında asayişi muhafaza için önceden hiçbir tedbir almadı.

Madde 13: Subay ve askerleri ve vali ve idare amirlerini ihtiva eden grup, Konak Meydanından, hapsedildikleri Patriz gemisine götürüldükleri yol üzerinde, kendilerini takip eden kalabalık ve hatta kendilerine refakat eden askerler tarafından kaba muameleye maruz bırakılmışlardır. Bütün bu tuttuklarının malları ve paraları çalınmıştır. Hepsi "Yaşa Venizelos" diye bağırmak ve elleri havada yürümek mecburiyetinde bırakılarak, bazıları katledilmiştir.

Madde 14: 15 Mayıs ve takip eden günlerde Yunan birlikleri, aralarında muayyen miktarda 14 yaşında ufak çocukların da bulunduğu 2.500 şahsı keyfi olarak tevkif ettiler. Hatta bazı mekteplerin idareci ve talebeleri de Patris gemisinde hapsedildiler. Bu mevkufların büyük bir kısmı fena muamele görmüşler, eşyaları yağma edilmiş ve günlerce kabul edilemeyecek hijyen şartları altında mevkuf tutulmuşlardır.

Madde 15: 15 ve 16 Mayıs günleri, şehirde Türk halkına ve evlerine karşı şiddet ve yağma hareketlerine girişilmiştir. Fesler

Türklerin başlarında çekip alınmış ve kendileri bu şapka ile sokağa çıkma cesaretini artık gösteremez olmuşlardır. Birçok kadına tecavüz edilmiş ve cinayetler işlenmiştir. Bu şiddet hareketleri ve yağmalar çoğunlukla şehrin Yunan ahalisi tarafından yapılmış fakat askerlerin de bu hareketlere karıştığı ve askerî makamların da bu hareketleri önleyici tesirli tedbirleri geç olarak aldığı tespit edilmiştir.

Madde 16: İzmir'in Yunanlılar tarafından işgal edildiği güne ait ölü ve yaralı sayıları, Yunanlılar ve Türkler tarafından değişik miktarlarda tahmin edilmiştir.

Bu miktar yaklaşık olarak aşağıdaki şekildedir.

Yunanlılar: Asker, 2 ölü ve 6 yaralı sivil, 20 ölü, 20 boğulma vakası, 60 yaralı, Türkler: 300-400 arasında zayiat (yaralı veya ölü)

43 Yunanlı, 13 Türk, 12 Ermeni ve bir Yahudi bulunmaktaydı.

Madde 32: Yunan kıtaları Aydın civarında silâhlı keşiflerde bulunmuşlar ve bu keşiflerin sonunda birkaç köy yakılmıştır. Ayın 27'sinde bu keşif kollarından biri çeteler tarafından geri püskürtülmüş ve Aydın içine kadar kovalanmıştır. Yunan kumandanının ve şahitlerin ifadesine göre, geri çekilmekte olan Yunan kıtalarının demir yolunun güneyinde bulunan Türk mahallesinden geçişleri esnasında Türk halkı tarafından üzerlerine ateş edilmiştir. 29 sabahı Türk mahallesinde patlak veren yangınlardan birkaçı bu muharebe esnasında meydana gelmiştir.

Alevler içinde kalan mahalleden kaçmaya çalışan kadın, erkek, çocuk Türklerin büyük bir kısmı mahalleyi şehrin kuzey kısmına bağlayan bütün yolları tutan Yunan askerleri tarafından sebepsiz olarak öldürülmüşlerdir. Şüphesiz ki, Yunan Kumandanlığı ve askerleri bütün soğukkanlılıklarını kaybetmişlerdi. Yunanlılar 29'u 30'a bağlayan gece birçok cinayetler ve suikastler işledikten sonra şehri terk etmişlerdir.

Madde 35: 29 Haziran ile 4 Temmuz arasında meydana gelen yangınlar, 8.000 Yunanlı ile birlikte nüfusu 20.000 olan Aydın şehrinin 2/3'ünü tahrip etmiştir. Yanmamış olan evler ise yağma edilmişlerdir.

Madde 42: 17 Haziranda Bergama'nın tahliyesinden sonra Menemen'de toplanan Yunan kıtaları ciddi bir sebep olmaksızın müdahale edilecek durumda olmayan Türklerin katliamına girişmişlerdir. Belediye makamlarının bildirdiğine göre 1000'den fazla Türk öldürülmüştür.

> *Tahkikat Komisyonu üyeleri:*
> *Amiral Bristol General Bunoust*
> *ABD Delegesi Fransız Delegesi*
> *General Hare General Dall'oho*
> *İngiliz Delegesi İtalyan Delegesi*

Yunan mezalimini gayet açık bir şekilde anlatan bu raporu hazırlayan İngiliz, Fransız ve Amerikan yetkileri, aslında Yunanistan'a işgal izni veren, Lloyd George, Clemenceau ve Wilson'un yani kendi başkanlarının suça ortaklıklarını da ortaya çıkarmışlardır. Çünkü bu başkanların Yunanistan'a işgal izni vermelerinin asıl nedeni, kamuoylarına duyurdukları gibi, Batı Anadolu'daki Rumların katledilme tehlikesi değil, burasını Türklerden temizlemek ve İtalyan işgaline fırsat vermemekti.

Yunan kuvvetleri "Megali İdea" düşlerine uyarak soy kırım amacını gerçekleştirebilmek için Sivrihisar, Haymana ve Polatlı yörelerine kadar ilerlediler. Ancak, 13 Eylül 1921 günü Sakarya Savaşı'nı hiç ummadıkları bir sonuçla kaybedip çekilmeye başladıkları andan itibaren de soykırım rüyasından uyandılar. Bilhassa 26 Ağustos 1922'de başlayan Büyük Taarruzla beraber panik halinde çekilmeleri esnasında bu sefer mağlubiyetin vermiş olduğu kin ve korkunun dehşet ve etkisi altında geçmiş oldukları her yeri yakıp yıktılar. Önlerine çıkan her Türk insanına akıla gelmeyecek ve hayal edilemeyecek şekilde vahşet, cinayet, işkence ve zulüm yaparak ileri harekât anında yaptıklarının daha da vahşicesini yaptılar.

Yunanlılara son darbe 30 Ağustos 1922'de Başkumandanlık Meydan Muharebesinde vurularak ordularının önemli bir kısmı imha edilmiştir. Canını kurtarabilen Yunan askerleri ise bütün teçhizatını cephede bırakarak panik halinde kaçmaya başlamışlardı. Ne var ki cephedeki hezimetin acısını cephe gerisindeki savunmasız Türk halkından çıkaran Yunanlılar kaçarken, yolları üstündeki tüm köy, kasaba ve şehirleri taş üstünde taş, baş üstünde baş kalmayacak biçimde yakmış, yıkmış, harabeye çevirmiştir. 4500 haneli Alaşehir'de 4 Eylülde, 15 ayrı yerde aynı anda yangın çıkararak ilçeyi tamamen yakmışlardır.

Batı Anadolu'dan ümidini kesen Yunan askerleri ve bu askerlerin bütün vahşiliğine iştirak eden yerli Rumlar, canlarını kurtarmak için liman şehirlerine kaçıyorlardı. Ne var ki tahliye ettikleri bütün Türk topraklarını ve buralardaki Türk ahalisini de çeşitli şekillerde imha ediyorlardı. Üstelik bu imha faaliyetleri rasgele değil, işgal ederken yaptıkları gibi planlı bir şekilde komutanların emriyle uygulanıyordu.

Gerçekten Yunan askerleri Generalin sözlerini boşa çıkarmamış unutmadığımız, unutamayacağımız bir vahşet sergilemişlerdir. Özellikle adına "Tahrip Taburları" denilen özel birlikler aldıkları emir doğrultusunda bu planlı vahşetin uygulayıcısı olmuşlardır. Ayrıca yerli Rumların oluşturduğu ve içinde Ermenilerin de bulunduğu çeteler de birer tahrip taburu gibi çalışmışlardır.

Bu şekilde yüzlerce yerleşim yerini yakıp yıkıp harabeye çevirerek, binlerce insanın canına kıyarak denize doğru kaçan Yunan askerleri ve yerli Rumlar birbirlerini çiğneyerek gemilere binmeye çalışmışlardır. 15 Mayıs 1919'da Megali İdea hayaliyle gemilerden inen askerler ve onları coşkuyla karşılayan yerli Rumlar şimdi o gemilere binmek için birbirleriyle mücadele ediyorlardı.

Mustafa Kemal Paşa'nın 1 Eylül 1922'de ilk hedef olarak Akdeniz'i gösteren ünlü emrini vermesi üzerine, Türk Silahlı kuvvetleri batıya doğru kaçmakta olan Yunanlıların peşini bir an olsun bırakmadı. Yunan birlikleri kaçarken, rastladıkları Türk köylerini yakıp yıkıyorlardı. Yüzlerce yıl rahat ve huzur içinde yan yana kardeşçe yaşadıktan sonra, Yunan ordusunun gelişi ile canavarlaşarak, bu ordu ile işbirliği yapan, silahsız Türk halkının boğazına sarılan, binlerce masumu insafsızca katleden, fakat bozguna uğradıkları bu günlerde yaptıklarının hesabını veremeyecekleri için kaçmakta olan Yunan ordusu ile birlikte yerli Rumlar'da denize koşuyordu.

Geri çekiliş sırasında birçok yeri ateşe veren ve halkının çoğunu "camilere ve evlere doldurarak" yakıp kül eden Yunanlılar, çok sayıda silah, cephane, araç-gereç bırakarak, binlerce gencini Anadolu topraklarına gömerek, birçoğunun da esirliğe terk ederek maceralarını sona erdirdiler. 1918'den 1922'ye kadar süren süre içerisinde Yunan milleti hayal peşinde koşan kişilerin yönetimi altında çok şey kaybetti, katil ve kanlı bir millet olduğunun bir defa daha kaydedilmesi oldu.

Sonuçta adalet dağıtmak için Batı Anadolu'ya geldiklerini söyleyen Yunanlılar, daha işgalin başladığı gün İzmir'i kana buladılar. İzmir ve art bölgesindeki Türk halkı yaklaşık 40 ay ızdırap içinde yaşadı. Bu ızdırap, Yunan ordusunun Anadolu içlerine yürümeye karar verdiği dönemlerde daha da arttı. Oysa aynı dönemde, bölgedeki Rum ve Ermenilerin büyük bir kısmı işgalcilerle bütünleşerek Yunan ordusuna maddi ve manevi her türlü yardımı yapıyordu. Ancak Yunan ordusunun bütün çabaları, Ankara'da alevlenen milli uyanışı söndüremedi.

Yunanlıların asıl amacı, bir hayal ürünü olan "Megali İdea" hedeflerine ulaşmaktı. Bunun için Anadolu'nun Ege kıyılarını ele geçirerek hem bölgenin emniyeti ve hem de soy kırımı girişimleriyle Türk halkının imhası ve kalanların da Doğu Anadolu'ya sürülmesiyle orta Anadolu'ya kadar uzanan Türk topraklarını ele geçirerek vatanın bu bölümünde Yunan egemenliğini sürdürmekti.

Bu hayali emellerini gerçekleştirmek için yalnız istilalarla yetinmeyip tek vücut olan Türk halkını da etnik gruplara ayırarak, vatanı içerden de parçalamaktı. Bu düşünceyle aynı bayrak altında, aynı gaye uğruna vatanın bölünmez bütünlüğü için canını feda etmekten kaçınmayan Anadolu halkı arasında bir ayrıcalık yaratarak Türk halkını parçalayıp, zayıflatmak gibi politik eylemlere de başvurmuşlardır.

Yunanlılar ileri harekâta başladıkları tarihten itibaren işgal ettikleri tüm sancak ve kazalarda konferans kararlarına ve taahhüt ettikleri şartlara kesinlikle uymamışlardır. Gittikleri her yerde yerleşmek, her türlü zorluğu çıkararak Osmanlı jandarmasının çalışmalarına hiçbir şekilde muvafakat etmemişlerdir. Hükümet konaklarını işgal ve Yunan bayrağı çekerek memurları başka yerlere nakle mecbur etmişlerdir. Hatıra gelmeyen bin türlü oyuna zorlayarak Türkleri ticaretten men' ile iktisadi hayatı yalnız Rumlara bırakmışlardır. Hayatı ihtiyaç maddelerine narh koymak suretiyle köylünün elindeki bir tutam tereyağıyla yirmi yumurtasını cebren almışlardır. Türk köylerine silahlı müfrezeler göndererek Yunan idaresini istediklerine dair cebren senet imzalatmışlardır. Kuvayı Milliye'ye mensubiyetleri töhmetiyle hemen her Türk'ü tevkif, darb, nefy ve en nihayet katletmişlerdir. Girdikleri yerden kesinlikle çıkmayacaklarını, çünkü Avrupalıların yardımıyla değil kendi kuvvetleriyle geldiklerini söyleyerek, Türkleri korkutma maksadıyla propagandalar yaptırmışlardır. Osmanlının bayrağını Türk'ün dinini, milletini alenen tahkir etmişlerdir. Türkların namuslarına cebren girerek babasının gözleri önünde evladının ırzına, namusuna tecavüz etmişlerdir. Türk'e ve Türk'e ait her ne varsa imha etmişlerdir.

Bu işgaller ve zulümler sırasında kurtulabilen halk, kendilerini daha emniyetli yerlere atmaya çalışıyorlardı. Hatta bazı yerlerde daha Yunanlılar işgal etmeden köyleri boşaltmak mecburiyetinde kalıyorlardı. İşgal ettikten sonra Yunan zulmüne tahammül edemeyen Türk halkın büyük bir çoğunluğu çareyi kaçmakta buluyordu. Yunanlıların da zaten amaçları buydu. Çünkü bu sayede bölgede Türk nüfus azalacak yerine Rum göçmenleri iskan edilecekti.

Yunan Başbakanı Venizelos, işgal kuvvetlerini süratle arttırırken, bir taraftan da yerli Rumların yardımını sağlamak amacında idi. Çünkü Balkan Harbinden sonraki gerginlik sırasında ve Birinci Dünya Harbi içinde Batı Anadolu'dan Yunanistan'a göç etmiş olan Rumları tekrar Anadolu'ya yerleştirmek için de acele ediyordu. Böylece üç yüz bin civarında Rum Anadolu'ya gönderilerek Batı Anadolu'yu Yunanlaştırmak siyaseti güdülüyordu.

Görüldüğü ki, Yunanlılar ellerine her ne zaman fırsat geçerse geçsin, Türk'e zulüm yapmaktadırlar. Ellerine geçirecekleri ilk fırsatta düşüncelerini tatbik etmede asla tereddüt etmeyeceklerdir. Onun için Türk insanı olarak her zaman uyanık olmalı dostumuza düşmanımızı iyi tanımalıyız.

Yunanlıların Kurtuluş savaşımız döneminde işgal ettikleri, özellikle Batı Anadolu bölgesinde işledikleri, savaş şartları ile hiç mi hiç ilgisi olmayan ve iki yıldan fazla sürdürdükleri insanlık dışı zulüm ve işkencelerle katliamlar konusunda, kendilerine savunma hakkı kazandırabilecek tek noktacık bile yoktur. Bu, artık onların o dönemdeki müttefiklerince de kesin gerçekler olarak kabul görmektedir.[33"]

---

33 AYIŞIĞI, Metin, Prof.Dr. "Unutulan Soykırım: Batı Anadoluda Yunan Mezalimi" makalesinden alınmıştır.

VII. BÖLÜM

"istiklal yoksa istikbal de olamaz"

Nefes nefese kalmışlardı. Şehirde çıkan kargaşa, silah sesleri ve yer yer yükselen siyah dumanlar, bağrış çağrış, artık dönüşü olmayan bir yolun başlangıcında olduklarının bilinci, hepsinin kafasındaydı. Atları köpük içindeydi. Birkaç saatten daha fazladır dolu dizgindir Bozdağ yamaçlarında at sürüyorlardı. Hepsinin aklında geride bıraktıkları vardı. Anneler, babalar, ihtiyarlar, bacılar ve kavuşamayacakları yavuklular ve kara sevdalıları... Sessizliği, Sabri bozdu;

- Eyüp, vurduğuna emin misin len?

- Hemide iki kaşının arasından, o uzun boylu Yunan askeri, dal gibi düştü yere.

- Görüverseydiniz keşke, Osman ile Eyüp sıkmaya başlayınca, gelen Tüm Yunan askerleri gerisin geri topukladılar, diye lafa karıştı Celal.

- Bu zalimler, şehirde Türk, Müslüman bırakmazlar gayri, dedi Salih endişeli endişeli.

- Bizimkiler hariç, dedi Sabri. Babam, şincik kocaman bir sofra kuruvermiştir, iş bağlıyordur.

Yol iyice dikleşince, soluklanmak için atları, gür bir meşenin dibine bağladılar. Artık güneş iyice tepeye yükselmiş ve ortalık oldukça ısınmıştı. Gür meşelerin arasında oldukça yeşil, bahar çiçekleriyle dolu bir alana bağdaş kurup azıklarını açtılar. Hâlâ taze olan yufka ve bazlamalarının arasına peynir, tereyağı, azıcık domates, biberle koyup, sabahtan beri kazınan midelerini doyurmaya başladılar.

- Neden Menemen üzerinden gitmiyoruz, dedi Eyüp.

- Sabri ile atları bağ evinden almaya gittiğimizde, Kahya söyledi, Yunan Foça'ya Ayvalık'a asker çıkarıvercekmiş. Tehlikeli olur deyiverdi. Biz de, Bozadağ üzerinden, Ödemiş tarafına geçmeye karar verdik, dedi Salih.

- Kimlere katılıvereceğiz, Ödemiş'e gittiğimizde, dedi Eyüp.

- Jandarma Tabur Kumandanı Tahir Bey ve Yedek Üsteğmen Ahmet Şükrü Bey, "Yiğit Ordusu" adı altında bir teşkilat kurmuşlar. Ayrıca, Salihli- Birgi arasında Bozdağ Cephesi Zeybeği Postlu Mestan Efe, Tireli Gökçen Hüseyin Efe'den bahsediyorlardı gazetede, Hasan Tahsin. Ödemiş Kaymakamı Bekir Sami Bey, direniş örgütlerini pek tasvip etmiyormuş, dedi Celal.

Bu dört arkadaşın hemen hemen hepsi büyük şehirde büyümüşlerdi. Eyüp, zaman zaman Nazilli'ye giderdi. Zeybekleri, efeleri arkadaşlarından daha iyi tanırdı. Onların asırlardan beri anlatılan efsaneleri olduğunu bilirdi.

Göçebe, aşiret ve köylü çocukları, hayatı anladıkları andan itibaren zeybek olmak hevesine kapılırlardı. Çünkü enerjilerini kullanıp tanınmış ünlü adam olmak için seçeceği başka bir yol yoktu. Bunları, içinde bulundukları topluluk yetiştiriyordu. Bir de yüze çıktılar mı zengin, itibarı yerinde, hükümetle karşılıklı antlaşma yapmış, imtiyazlı birer adam oluyorlardı. Bunları köy kahvesinde gümüşlü tüfekleriyle ayak ayak üstünde, başından geçen maceraları, vuruşmaları anlattığını gören köy delikanlıları, onlar gibi kahraman olma hevesine kapılırlardı. Ve bu toplumsal bozukluk devam edip giderdi. O kadar ki hükümet kuvvetleri, kendilerini ne kadar sıkıştırır, takip ederse onlar da o nisbette şanlı zeybek sayılırlardı. Yok edilenlerin yerlerini, bu hevesle başkaları alırdı.[34]

Efeler, yaşamları boyunca, jandarma ve özellikle subaylara karşı oldukça tepkili olmuşlardır. Kendilerine ait bir yönetim, vergi ve eşkiyalık düzenleri vardı. Efe başı dışında kimseye hesap vermez, kural ve yaşam şekillerini kendi geleneklerine göre düzenlerdi. Bugünkü sistemde "Mafya" teşkilatı gibi yasadışı işlerle, eşkiyalık, adam kaçırma, zorbalık, haraç, korkutma, sindirme gibi işlerle uğraşır, sürekli arazide, destek verenlerin yanında veya dağlarda yaşarlardı. Kimileri de haksızlıklara karşı direnir, zenginlerden alır fakirlere dağıtırmış. Bu tip efelere, halk arasında büyük sevgi ve saygı duyulur, itibar görürler ve hükümet kuvvetlerine ve diğer hasımlarına karşı yataklık edilirdi.

Eyüp, arkadaşlarına karşılaşacakları zorluklar hakkında bilgi vermek istiyordu. Çünkü önlerine çıkan her efe, vatansever, her asker Kuvayı Milliyeci olmayacaktı. Özellikle, mütarekeden sonra baş gösteren otorite boşluğu, hem kötü niyetli efe ve zeybekler arasında, hem de işsiz kalan ve terhis edilen askerler arasında büyük bir asayiş bozukluğuna düzensizliğe yol açmıştı. Köylere, kasabalara silahlı giderek zorla vergi topladıkları, zengin ahalinin çocuklarını dağa kaçırıp fidye istedikleri gibi rivayetler dinlemişti babasından.

---

34 Kurtuluş Savaşına Galip Hoca takma adıyla katılan Kuvayı Milliyeci Celal Bayar (Cumhuriyet Dönemi, Bakan, Başbakan, Cumhurbaşkanı) hatıralarında (Bende Yazdım, Baba Matbaası, İstanbul, 1968) efeleri tarifi.

- Arkedeşler, dedi Eyüp mırıldanarak elindeki sarmayı dudağıyla ıslatıyordu. Diyeceklerim var, beni can kulağıyla dinleyiverin bir yol.

Hepsi, Eyüp'ün yüzüne merakla baktılar. İçlerinde, köyü, dağı, efeliği, silahı, kısacası silahlı çatışmayı tek bilen oydu. Bu ıssız dağlarda, ovalarda onun tecrübeleri ve söyleyeceği her şey önemli idi. Vatanı kurtarmaya giderken, buralarda telef olup kaybolup gitmekte vardı.

- "Her gördüğünüz efe, doğru efe, her asker ise Kuvacı değildir bilmiş olun. Efe kıyafetinde bir sürü çapulcu türedi demişti babam geçenlerde. Elimizden atlarımızı, azıklarımızı, az bişeycik paramızı alırlar ve bizi de tavuk gibi boğazlar ve bir dereye atıverirler Allah esirgesin. Önce en yakın kasabada, üzerimizdeki bu şeherli kıyafetlerinden kurtulacağız".

- "Ne giyeceğiz?" dedi Salih merakla,

- "Başımıza börk ya da fes, çevresine oyalı yemeni ya da uzun saf ipek sararız. Üzerimize yakasız ten gömleği, üstüne ön düğmeleri her zaman açık duran zıbın ya da içlik, onun üstüne çapraz düğmeli camedan, en üstede cepken giyiverceğiz. Benim cepkenim siz kızanlara göre daha uzun olsun ki, sizin efeniz ben oluvereyim."

Hepsi gülüştüler ve elleriyle Eyüp'e vurmaya başladılar "Len seni kim başımıza efe yaptı" diye.

- "Eee, altımıza ne giyeceğiz?" dedi Celal,

- "Pantolonların yerine, ağı çok geniş diz kapaklarına kadar boyu uzanan, paça ve kenarları kaytanla işlenen potur[35] giyiverceğiz. Dizden aşağısına çorap ya da dizlik giyiverceğiz. Ayakkabılar yerine yemeni giyiverceğiz. Kasıkla, göğüs arasına oldukça geniş bir

---

35 Şalvar

şal saracağız ki tüm eşyalarımızı bu kuşağa sokuverelim. Kuşağın üstüne sarıvereceğimiz deriden yapılmış silahlık bağlayıvereceğiz. Ayrıca matara, çubuk, maşa, tütün torbası, kav, çakmak ve çakmak taşını burada taşıyıverceğiz. Eğer kasabada bulabilirsek, birer tane tabanca, mavzer ya da filinta ve fişekliğide buraya takıvereceğiz.[36] Efelerin urbaları böyle... Eğer onlar gibi görünüversek bize fazla ilişmezler ve aralarına kabul ediverirler.

Gece gündüz yol yürüyerek, kırda bayırda kalarak Bozdağı geçip Tire kasabasına geldiler. Burada Eyüp'ün bahsettiği efe kıyafetlerini ve malzemelerinin çoğunu bulmuşlardı. Artık şehirli kıyafetlerinden kurtulmuşlar kendilerini birer zeybek olarak görmeye başlamışlardı. Hatta Eyüp, arkadaşlarına atış talimi bile yaptırmıştı. İlk kez tüfek kullanmasına rağmen Salih, diğerlerine göre çok daha çabuk kavramıştı filintasını, attığını vurur hale gelmişti kısa zamanda.

Üç gündür yanlarında kaldıkları, Tire'nin zengin çiflik sahiplerinden, Sabri'nin babasınında dostu olan (ki silah ve malzemelerin tedarikinde çok emeği oldu), Bekir Çavuş, Postlu Mestan Efe'nin mezarlığın yanındaki tarlada onlarla görüşmek için beklediğini haber verdi. Hemen toparlanarak atlarına binip mezarlığa doğru sürdüler. Hava karamak üzereydi.

- "Deyiverin bakalım ne arıyonuz evinizden barkınızdan bu kadar uzakta buralarda bakayim, dedi Mestan Efe. Tarlanın ortasına bağdaş kurmuş, gümüş süslemeli filintası iki dizinin üzerinde oturuyordu. Kızanları da çevresinde ayakta, ellerinde silahlarıyla dikatlice Mestan efenin karşısında dikilimiş, efe kıyafetli şehirli gençlere bakıyorlardı.

- "Efem, Yunan İzmir'e giriverdi. Oralarda durulacak gibi değil.

---

36 UĞURLU, Nurer, "Çerkez Ethem Kuvvetleri, Kuvayı Seyyare", Örgün Yayınevi, İstanbul, 2007, s.16

Aldığımız habarlara göre Yunan, Urla'yı, Menemen'de işgal etmiş Tire, Ödemiş, Salihli, Manisa istikametinde işgali genişletecekmiş. İzmir'de kurduğumuz Redd-i İlhak cemiyeti olarak bu haksız işgale ve Yunan işgencesine karşı direnme kararı aldık. İzmir'de kalan arkedeşlerimizin, askerlerimizin çoğu öldürüldü ya da hapse atıldı. Biz de dört arkedeş, sizin gibi şanlı efelere katılarak Yunan'a karşı savaş etmeye geliverdik.

- "Koca Yunan Ordusuna Osmanlı Hökümeti karşı gelememiş, bir avuş baldırı çıplak efe mi direnecek", dedi ve etrafındaki kızanlarla gülüşmeye başladı Mestan Efe. "Bilmez misin, Yunan'ın arkasında İngilizler de var. Tevekkeli değil, Bir sürü Rum çetecisi, komitacısı türemiş derler. Bunların hepsiciği ile baş edebilecek misiniz? Küçümser bakışlarla gençlere bakarken...

- "Evvel Allah Efem, sonra da siz başımızda olursanız", dedi Celal.

- "Bakıverin hele. Bu iş o kadar koley değil. Zati, yıllarca Hökümet jandarması ile çatıştık durduk bir de başımıza Yunan milletini sarmayalım. Bizi savaşmamız için, Salihli teşkilatına da çağırdılar. Amma bakıverceğiz, hal çaresine. Fakat siz en iyisi, Ödemiş'e gidin orada Yedek Zabit Şükrü Bey[37] var. O ve jandama Tabur kumadanı Tahir Bey Yiğit Ordusu denen bir teşkilat kuruvermişler diyorlar. Ya da Ödemiş-Tire yolunda Kahrat köyünde oturan Gökçen Hüseyin Efe'ye de katılabilirsiniz. Hadi yolunuz açık olsun", dedi Mestan Efe.

Vakit geçirmeden dört arkadaş, Gökçen Hüseyin Efe'ye ulaşmak için Kahrat Köyüne doğru yola çıktılar.

- "Neden, dedi Salih, Anadolu insanı bizim kadar önemsemiyor bu işgali. Biz ve bizim gibiler evimizi, barkımızı, sevdiklerimizi

---

37 Avukat Şükrü Konuk

bırakıp ve onların hayatlarını tehlikeye sokup memleket sevdası peşinde beş gündür yollarda yarı aç yarı tok ve şikâyet etmeden yaşamlarımızı feda etmeye hazırız. Ama yıllarca dağlarda eli silahlı olarak dolaşmış 20–25 kızanı olan şu kendini beğenmiş efe, Yunan'ın gelip gelmemesini umursamıyor bile. Anlayamıyorum."

- "Anlamaman normal, dedi Celal. Biz şehirlilerin bunu anlaması ve kavraması oldukça zor... Çünkü ne biz, ne de Hükümet, Anadolu insanın yıllarca ne çektiğini görmedi ya da görmemezlikten geldik. Osmanlı, ne zaman askere ihtiyacı olsa onun kapısını çaldı, önce dedesini, sonra babasını sonrada oğulları birer ikişer alıp, Çanakkale'de, Yemen ellerinde, Arap çöllerinde, Sarıkamış Dağlarında ismini bilmediği diyarlara yolladı, oralarda kırdı yok etti. Köylerde kalan eli silah tutanlar ise, devlete isyan edip zeybek oldu efe oldu. Ne zaman devletin hazinesi boşalsa, hemen öşürçülerini, ağnamcılarını, zaptiyelerini yollayarak vergi topladı, fakir köylüyü daha da fakir yaptı. Onlarda Devletin, dedelerini, babalarını, oğullarını, mallarını almalarındansa, bu efelere sığındılar, daha azını vererek köylerinden, devletin zaptiyesini, tahsildarcısını uzaklaştırdılar. Güç zorbanın, gücü gücüne yetenin olmuş, haksızlık veya haklılık elindeki silahın yanındaki kızanın miktarıyla kazanılmış. Şimdi bu postlu Mestan, ne diye Yunan'la savaşsın ki? Eğer Yunan'la, İngiliz'le, Fransız'la savaşsaydı bu güne kadar kimbilir ismini bile duymadığı hangi uzak diyarda ölmüş, bir mezarı bile yoktu. Onun için Osmanlı zaptiyesi, jandarması ile Yunan askeri arasında hiçbir fark yok. Ama yine de umudumuzu kesmeyelim. Hasan Tahsin, Türk insanın yüreğinin bir yerlerinde saklı olan vatan sevgisinin varlığına inanırdı hep. Son günlerde hep bu sevginin şahlanması için ne yapmalı diye düşünüp dururdu. Sanırım başarılı da oldu. Onun, işgalciler karşısına tek başına dikilmesi, eminim Türk milletinin de arkasında olma inancından kaynaklanıyordu. Hele bir Gökçen Hüseyin Efe'ye varalım bakalım o ne deyiverecek."

Vakit gece yarısını geçmişti. Küçük menderesi geçtikten az sonra Kahrat köyüne ulaşmışlardı. Ortalık zifiri karanlık, göz gözü görmüyordu. Köyün meydanında birkaç evin zayıf ışığı yansıyordu. Köyün ortasındaki küçük meydanda, isminin sonradan Kahrat Köyü destabanı ve efenin adamlarından Hüsnü, elinde filintasıyla karşıladı gelenleri.

- "Kimsiniz? Ne arıyorsunuz burada?"

- "Biz İzmir'den geliyoruz. Gökçen Efe'ye katılıvereceğiz. Tire'den Bekir Çavuş, Mestan Efe salık verivermişti."

- "Geçiverin içeri o zaman, dedi Hüsnü elindeki silahı indirmeden. Işıkta iyice bakmak istiyordu yüzlerine."

Son günlerde bir eşkıya türemişti, adına Çerkez Hasan diyorlardı. Köylüyü kırıp geçiren, acıması olmayan biriydi. Etrafına topladığı çapulcularla, köy basar, erzakları talan eder, adam kaldırırdı. Çok şikâyet gelmişti, onun hakkında, Gökçen Efe'ye. Bir seferinde takipte Sarıköy yakınlarında kıstırmıştı, ama bir yolunu bulup sıvışmıştı Çerkez Hasan.

Hüsnü, gelenlerin kıyafetlerine iyice baktı. Bunlar Çerkezin kızanlarına hiç benzemiyorlardı. Hatta o yörede hemen hemen herkesi tanırdı, bu gençleri ilk kez görüyordu hayatında. Ellerine ve giyinişlerine baktığında, dördünün de şehirli oldukları açıkça görülüyordu.

- "Sizden bir saat önce Ödemiş'ten bir bey getiriverdim, Galip Hoca isminde. O da sizin gibim İzmir'den mi gelmiş ne. Efe onunla görüşüyor odada şincik. Sizde bir köşeye ilişin, sessizce dinleyiverin. Ben size biraz azık neyim hazırlayıvereyim." dedi ve gençleri içeri efenin yanına buyur etti.

İçeri girdiklerinde, efenin yanında, kısa siyah sakalları düzgünce kesilmiş, Jandarma subayı kıyafetinde, yüzüne tam oturmuş iki yuvarlak camlı ince gözlüğü ile Galip Hoca'yı karşılarında görünce, Celal hemen heyecanla;

- "Mahmut Celal Bey, siz burada görmek ne güzel", diyerek Galip Hoca'ya doğru giderek ellerine sarıldı. Uzun zamandır tanıdık bir yüz görmek, bu davada yalnız olmadıklarını görmek, yüreğindeki endişeyi yok etmiş ve mutlu olmuştu. Mestan Efe'nin bu akşam vermiş olduğu karamsarlık uçup gitmişti aklından.

Celal, Galip Hoca takma adıyla Kuvayı Milliye teşkilatını kurmaya çalışan Mahmut Celal Beyi İzmir'de yakından tanıyordu. Sık sık gazeteye gelir ve Hasan Tahsin ve diğer yazarlarla çizerlerle görüşürdü.

İzmirli gençlerin bu kadar duyarlı olmaları da Galip Hoca'yı duygulandırmıştı. Sıcak kucaklaşmalardan, Celal'in Galip Hoca'ya arkadaşlarını tanıttıktan ve buralara gelme amacını anlattıktan sonra, Galip Hoca da hem Gökçen Efe'ye hem de İzmirli gençlere neden buraya gelmeye karar verdiğini anlatmaya başladı.

- "İşgal başladıktan sonra, bir karar vermenin zamanı gelmişti diye düşündüm. İzmir Mebusumuz Mansurizade Sait Bey'in oğlu tüccardan Emin Bey sık sık İstanbul'a gidiyordu. Her gelişinde Karantina[38] Mahallesinde yokuştaki evinde buluşur, görüşürdük. Emin Bey'in İttihat ve Terakki İstanbul eski üyelerinden ve iaşe Nazırı Kemal Bey'le teması vardı, bana haber getiriyordu. Son görüşmemizde Kemal Bey'in, serbest çalışabilmem için benim ele geçmememi tavsiye ettiğini söylemiş. Ben de Emin Bey kanalıyla kendisine şu düşüncemi ilettim. "Asla yakayı ele vermeyeceğim. İyi günlerinde beraber yaşadığım asil insanlar, Egelilerin mukadderatına talihimi bağlayacağım. Durumu çok karanlık görüyorum Bu felaketli günlerde onlarla beraber olacağım. Gücüm yettiği derecede çalışacağım."

---

38 Şimdiki Küçükyalı Semti

Mansurizade bu sözlerimi Kemal Bey'e İstanbul'daki dostlarıma yetiştirmişti. Mustafa Kemal Paşa'nın Pera Palas Otelinde, Şişli'deki evinde güvendiği arkadaşlarıyla konuşmakta olduğu, milli dava için çıkar yol aradığını, genç generalin padişah, kabine ve çevrelerindekiler gibi İtilaf devletlerine hoş görünmekle kurtulacağımıza inananlardan olmadığını, yine Mansurizade'nin getirdiği bilgiden öğrenmiştim.

Emin Bey'in sözleri hâlâ kulağımda çınlar, "Hapishanede[39] bütün devlet adamları, bunların arasında Vali Rahmi Bey de vardı, hepsinin ümidi Mustafa Kemal Paşa'dadır" demişti.[40]

Eyüp, Salih, Celal, Sabri, Mahmut Celal Bey anlattıkça verdikleri kararın isabetli olmasından, Anadolu'ya gelerek direniş kuvvetlerine katılmaktan ve en önemlisi, her ne kadar Mestan Efe morallerini bozsa da, kendileri gibi kurtuluş çareleri arayan insanlarla karşılaşmaktan büyük mutluluk duyuyorlardı. Bu mutluluk, hepsinin ap aydınlık genç yüzlerinde açıkça gözlenebiliyordu.

Mustafa Kemal Paşa, ismi onlara hiç yabancı değildi. Özellikle Celal, 1915–1916 Çanakkale savaşından sonra, Anafartalar Kahramanı olarak bu Selanikli Komutanın ismini gazetelerde çok görmüş ve duymuştu. Çanakkale şehriyle ismi neredeyse özdeşleşen bu genç generalin İttihatçı olmadığını da çok iyi biliyordu. Mahmut Celal Bey anlatmaya devam ediyordu;

- "Bütün bu duyduklarımdan İstanbul'da için için bir hareket olduğu anlaşılıyordu. Bu fikirlerde olan insanların er geç bir araya gelmeleri mukadderdi. Böyle olmasa bile ben elimden geleni yapmalıydım. Artık kesin olarak kararımı vermiştim.

---

39 Bekirağa Bölüğü
40 Celal Bayar (Cumhuriyet Dönemi, Bakan, Başbakan, Cumhurbaşkanı) hatıralarında (Ben de Yazdım, Baba Matbaası, İstanbul, 1968)

İzmir Jandarması Tam olarak Yunanlılara karşı koymak, taşkilatlanma fikrini benimsemişti. Jandarma Tabur Komutanı Kıdemli Yüzbaşı Emin Fikri Bey[41] ve eşimin akrabası Jandarma Yüzbaşısı Asaf Bey'le durumu gözden geçirdik.

Eski Jandarma Alay Kumandanı Albay Avni Bey[42] Adana Ermeni tehcirinden sanıktı. Arandığı için gizlenmişti. Jandarma Yüzbaşısı Edip Bey[43] takip edildiği için meydandan çekilmişti. Hükümet her ikisini de sıkı surretle arıyordu. Bunlarla Küçük Menderes Havzasına çekilmek, orada muhtemel Yunan veya Yunanlıların içerlerde yapacağı siyasi propagandaya karşı hazırlanmak esasında anlaştık. Esasında ben bu maksatla ya bu bölgede veya Nazilli'de çalışmayı düşünüyordum.

O günlerde Yarbay Ali Bey[44] 17. Kolordu emrine verildiği için İzmir'e gelmişti. Ayvalık Bölge Komutanlığına tayin olunmak üzereydi. Birbirimizi gıyaben tanıyorduk. Kendisiyle Hükümet Konağı yakınındaki, o zaman meşhur olan "Dedenin Lokantası'nda" Emin Fikri Bey'in delaletiyle görüştüm. Hep beraber akşam yemeği yedik. Yanımızda Binbaşı Konyalı Hüsnü Bey de vardı. Hüsnü Bey, henüz Merkez Komutanı idi. Kendisisine de, kendisini tutuklanması için gizli emir verilmişti. Ali Bey Ayvalık'a gittiği taktirde savunma için hazırlanacağını, gizlendikleri yerde Avni ve Edip'i ziyaret ettiğinde kendilerini görüp kararımızı bildireceğini söyledi. Ben de hemen o gece evdekilerle veda edip yola çıkacaktım.

Yemeği yarıda bıraktım, arkadaşlarıma selamet ve başarı dilekleri arasında sokağa fırladım. Her taraf karanlık içinde, bol yağmur

---

41 Emin Fikri Özalp, Milli Mücadele sırasında Haymana İlçesi Kaymakamı, sonra da milletvekili seçilmiştir.
42 Sonraları Cebelibereket Mebusu Avni Paşa
43 Sonraları Sarı Efe Edip adını alacaktır.
44 Ali Çetinkaya

yağıyordu. Sular içinde yaya olarak Karantina semtinde oturduğum eve vardım ve eşim Reşide'ye yeni kararımı bildirdim. Cebimdeki 20 liranının 12 lirasını eşime verdim. Kendisine yaşlı annemi ve çocukları emanet edip annemin ellerini öptüm "Yolun açık, babanın ruhu seninle olsun" dedi.[45]

Salih'in gözleri dolmuştu. Annesi, dedesi ve bacısından ayrıldığı gece gözünde canlanıyordu. Hasretleri ve özlemi yüreğine oturmuştu Mahmut Celal Bey'i dinlerken. Kendi kendine, bu amansız mücadele için benim gibi vatan sevgisiyle atan yürekler ne büyük değerleri geride bırakıyorlar. Çünkü eğer istiklal yoksa hiçbirimiz için istikbal olmayacaktır, diye düşündü. Belli etmeden yaşaran gözlerini mintanın koluyla sildi, sanki içerdeki yoğun sigara dumanından rahatsız olmuşçasına hafif hafif aksırıp dinlemeye devam etti. Mahmu Celal Bey, sakin, ama anlaşılır düzgün bir İstanbul lisanıyla konuşmasına devam ediyordu.

- "Yağmur şiddetini artırmış, karanlık daha da koyulaşmıştı. Bastığım yeri göremiyordum. Kötü havadan memnundum, tabiat işimi kolaylaştırıyordu. Çamur ve su içinde "hafiyeler" peşime takılmaz, böyle ağır zahmete katlanmazlardı. Sırılsıklam Jandarma Tabur Komutanlığına geldim. Üzerimdeki jandarma subay kıyafetini giydim. Burada yağmurun hafiflemesini bekledik. Üsteğmen Fethi Bey'le[46] İkiçeşmelik'ten Katipoğlu semtine doğru atlarımızı sürdük. Yolda sık sık asker ve polis ile karışık devriyelerle karşılaşıyorduk. Şehrin asayişi için sıkı tedbirler alınmıştı. Katipoğlu'nda Hacı Ahmet kardeşlerin evine girdik. Avni Bey'in ileride Tire'de

45 Celal Bayar (Cumhuriyet Dönemi, Bakan, Başbakan, Cumhurbaşkanı) hatıralarında (Ben de Yazdım, Baba Matbaası, İstanbul, 1968)
46 Fethi Bey cesur bir jandarma subayı idi. Vaktiyle başta Yörük Ali olmak üzere birçok efeyi takip etmiş ve birçoğunu da yakalamıştı. Aydın Efelerine korku salmıştı. Milli Mücadele'ye katıldıktan sonra Yunanlılara karşı Bursa İnegöl savaşında şehit oldu.

Mahmutlar Çiftliği'nde bizimle buluşacağını söylediler. Edip Bey tepeden tırnağa silahlanmıştı. Emin Fikri Bey benim için de bir mavzer tüfeği getirmişti.

19 Mayıs, şafak zamanı atlarımıza bindik. Üsteğmen Fethi Bey bize refakat ediyordu. Gecenin şiddetli şiddetli yağmurundan sonra, açık, berrak bir gün başlamış, sadece çukurlar sularla dolmuştu. Buca'nın kuzeyinden bozuk dar yollarla Torbalı'ya varacaktık. Katipoğlu'ndan bu yöne doğru ilerlerken bağ evlerinin önünde rastladığımız insanlara dikkat ediyordum. Bakışlarında dostluk okunuyordu, bizi tanımışlardı. Yardım için eksiklerimizi soruyorlar, peynir, ekmek gibi yolluk vermek istiyorlardı. Ağızlarından "Allah yolunuzu açık etsin. Muvaffak olursunuz İnşallah" sözleri dökülüyordu. Bütün bunlar iyiye alametlerdi...

İlk konak yerimiz Kuşçuali adında bir köy oldu. Bizi temiz bir eve aldılar. Köyün ihtiyarları ziyaretimize geldiler, karşımıza diz çöküp oturdular. Onların, bir Yunan tehlikesi karşısında olduklarını gizlemedim. Balkan Harbi'nin, Cihan Harbi'nin facialarından yürekleri yanmış zavallıların yeni bir felakete uğrama ihtimali karşısında sarsıldıklarını görüyordum. Kurtuluş çaresinin ancak silahla mukavemette olduğunu, hazırlıklı olmak gerektiğini bir vaiz gibi anlattım. Buradan akşamüzeri, alacakaranlıkta ayrıldık, Torbalı yolunu tuttuk. Geceyi ismini hatırlayamadığım İzmir'le ilişkisi olan bir beyin evinde geçirdik.

Sabah karanlığında Giritli bir öncünün arkasında, Bayındır üzerinden Ödemiş'e doğru yol almaya başladık. Bayındır tren istasyonuna yaklaştığımızda, trenin hareket zamanı olduğundan istasyonda büyük bir kalabalık göze çarpıyordu. Kılavuza, bizi serbest bir yolcu gibi istasyondan geçirmesini söyledim. Yolumuzu değiştirerek, Küçük Menderes'e doğru bahçeler içine saptık. Hayvanlarımız çamurdan güçlükle adım atıyordu. Küçük Menderes'in Kahrat Köyü geçidinde birkaç köylüye rastladık, bizi ayakta selamladılar. Sonradan öğrendim ki bunlar Gökçen Efe senin adamlarınmış. Klavuzlar, bizi Hacıilyas Köyünün[47] yanında Söğütlükler içinde bıraktı.[48]

Mahmut Celal Bey, başından geçenleri anlatırken Hüsnü içeri girdi ve gençlerin döşeklerinin hazır olduğunu söyledi. Dört İzmirli delikanlı saygıyla Celal Bey ve Gökçen Efe'den müsaade isteyerek, ayrıldılar. Horozların bağırtısına bakılırsa sabah olmak üzereydi. Hiç değilse birkaç saat uyumak hepsine iyi gelecekti.

Yunanlılar, Haziran ayının birinci günü Tire'den çıkardığı Evzon Alayına bağlı iki Bölük ve 200'den fazla atlı yerli Rum kuvvetiyle Ahmet Şükrü komutasındaki 87 kişilik kuvvetle taarruza başladı.

Salih, Sabri, Eyüp ve Celal Gökçen Efe'nin kızanları ile birlikte Hacıilayas mevkiinde tertip almışlardı. Gökçen Efe'nin yanında hizmetkâr olarak çalışan Rum Kızı Aleyna, Kahrat Köyünde yapılan tüm konuşmaları, gelen ve gidenleri, alınacak tedbirlerin gizlice Yunan Komutanı Cavelas'a gönderildiği öğrenildiğinde artık çok geçti. Cavelas, alınan tüm tertipleri ve oluşturulan direniş teşkilatını öğrenmişti.

Tire istikametinden kan ter içinde gelen bir zeybek, heyecanla olanları Gökçen Efe'ye anlatmaya başladı;

- "Efem, düşman iki bölük Yunan, 200 atlı Rum komitacısı ile Ödemiş istikametine doğru Yusufki köyü cihetinden ovadan yaklaşıvermekte. Yürüyüş kolunda ağır makinalı tüfekleri de var. Bu kuvvetlerle Ahmet Şükrü müfrezesine taarruz ediverdi. Müsadere bir saat sürdü. Ahmet Şükrü Bey çekilmek zorunda kaldı", dedi.

Hacıilyas sırtlarından bakıldığında, Yusufki Köyü istikametinden kol halinde ilerleyerek yaklaşan Yunan askerleri gözüküyordu.

---

47 Şimdiki ismi İlkkurşundur.
48 Celal Bayar hatıralarında (Bende Yazdım, Baba Matbaası, İstanbul, 1968)

Kol sonunda bir ağır makinalı tüfek bölüğü de bulunuyordu. Bu düşman kolu, Hacıilyas sırtlarına yaklaşmadan evvel, piyade ateş menzili dışında, atlı Rumlar birkaç kısma ayrılarak, cephenin muhtelif yerlerine dağılarak tertip aldılar. Aynı zamanda piyade bölükleri de yayılarak, tepe sırtlarında tertip alan Türk kuvvetlerine doğru ilerlemeye başladılar.

Cephenin orta kesimini, Gökçen Efe ve kızanları, sol tarafını, Çerkez Hasan kızanları, sol yanını, Tahir Bey kuvvetleri tutmuştu. Yunan dağınık piyade kuvvetleri Kaya köyü civarında Çerkez Hasan kuvvetleriyle temasa geçti. Karşılıklı ateş bir saat kadar devam etti. Çatışmanın sonunda Çerkez Hasan, kızanlarıyla birlikte cepheyi boşaltarak geri çekildi. Onların çekilmesiyle Menderes yatağındaki söğüt ormanları çevresi açık kalmıştı. Yunan askerlerinin buradan kuşatma hareketine başlaması üzerine, Komutan Tahir Bey bütün kuvvetlere Balyanbolu ve Bozdağ istikametine çekilme emri verdi. Bu çekilmenin ardından Yunan Kuvvetleri akşama doğru Ödemiş'i işgal ettiler.

Bu geri çekilme hepsinin çok zoruna gitmişti. Fazla kayıp vermemişlerdi, ama direnişin ilk silahlı çatışmasını kaybetmek hepsinin zoruna gitmiş, Çerkes Hasan Efe'ye büyük bir kızgınlık duymaya başlamışlardı. Kızanlar arasında yayılan dedikoduya göre de, Çerkez Hasan'ın Yunan Komutanı Cavelas ile anlaştığı, cephenin sol yanını bu nedenle boşaltığı fısıltıyla söyleniyordu.

Yunan gazetelerinde bu olay küçük görülerek okuyucularına şu açıklamada bulunuyorlardı; "Cavelas'nın kumandası altında kıt'alarımız Ödemiş-Tire çevresinde ileri gitmişler ve civar köylerde silahlandırılan bazı başıbozuklarla müsademe etmişlerdir. Başıbozuklar Evzonların ilk hucumu ile dağılmışlar ve Bozdağ geçitlerine doğru firar etmişlerdir."[49]

---

49   Rodos Anadolu gazetesi, Tefrika No.21

VIII. BÖLÜM

"Sakarya'dan U dönüş"

Haziran 1921 başlarıydı. İlk Yunan Askeri'nin İzmir Limanına çıkması üzerinden iki yıldan fazla zaman geçmişti. Venizelos'un yıldırım savaşlarıyla Türkleri Anadolu'dan silip süpürme hayalleri her geçen gün yerini umutsuzluğa ve paniğe bırakıyordu. Venizelosçuların 3 yıldan beri İsviçre'de sürgünde tuttukları Kral Constantine bu başarısızlık karşısında gittikçe güçleniyordu. Halk arasında geriye gelmesi için kampanyalar, yazılar yazılmaya başlanmıştı. Sekiz ay önce Ekim 1920'de mevcut Kralın sarayın bahçesinde bir maymun tarafından ısırıldıktan birkaç gün sonra ölmesi, bu sesleri daha da güçlendirmişti. Eski kral Constantine'i destekleyen Yunan Ahali Partisi seçimlerden ezici bir çoğunlukla galip çıkmış, halkın çağrısına uyarak Kral Constantine'in Yunananistan'a gelerek tekrar tahta geçmesini sağlamıştı.

Kral Constantine, halkın gözünde başarılı gözükmek için, yine Venizelosçuların üç yıldan beri hapiste tuttuğu, General Papoulas'ı

Ege topraklarındaki Yunan Küçük Asya Ordusunun Komutanı olarak atamıştı.

Ancak, Venizelos ve taraftarlarının bu iki yıl süre içinde başarısızlıkları Türkler'in, çete teşkilatından düzenli ordu teşkilatına geçerek daha da güçlenmesini sağlamıştı. Kral Constantine'in hapisten çıkararak Yunan Ege İşgal Kuvvetleri Komutanlığının başına geçirdiği General Papoulas, ilk kez Bursa dolaylarında İnönü'de Türk mevzilerine çatmış, ancak başarısız olmuştu. Kral Constantine'in eline kılıcını alarak ordunun başına geçmeden Türklerin yok edilemiyeceği kanısı gittikçe güçleniyordu.

Hristo, Urla'nın Zeytinler köyünde başladığı askerlik serüvenine çabuk alışmış ve kavramıştı. Kısa zamanda aklıyla ve çalışkanlığı ile arkadaşları arasında sivrilmiş, önce onbaşı sonra da çavuş olmuştu. Türkçe ve Rumcayı çok iyi konuşması, söylenenleri çok çabuk kavrayıp yerine getirmesi, diğer Yunan ve Rum çeteler gibi soygun, yağma ve katliamlara katılmaması onu özellikle aklıselim komutan ve arkadaşları gözünde onurlu bir yere oturtmuştu. Şimdi Eskişehir'de Yunan Genel Karargâhında General Papuolas'ın Karargâh birliğinde mütercim olarak görevliydi.

Bu günlerde karargâhta büyük bir sevinç vardı. Bir kısım Yunan ve Rumlar, Yunan Kralı Constantine'in İzmir'e gelerek iki yıldır bu topraklarda bulunan Yunan Ordularının başına geçeceğini ve Büyük Ankara seferine çıkacaklarına inanıyor sevinç çığlıkları atıyorlardı. "Ankara'ya Ankara'ya"...

Özellikle Yunan basının Kral Constantine'in Ankara seferini Büyük İskender'in ünlü doğu seferine benzetmesi halkın ve askerlerin coşkusunu iki kat artırıyordu. Büyük İskender'in Ankara yakınlarındaki Gordion'da bulunan düğümü çözemeyip kılıcıyla ikiye bölmesi, Anadolu'da tutunamamsı lanetine bağlıyorlardı; an-

cak Kral Constantine, bu düğümü çözmek için Anadolu'ya gelerek
İstanbul'un fethinde elinde kılıcıyla ölen 13. Constantine'den son-
ra 14. Constantine olarak Bizans tahtına oturacaktı. Böylece Büyük
Yunanistan düşü gerçekleşecekti.

Kral Constantine, Anadolu'ya yola çıkmadan Atina Katedralin'
de bir konuşma yaptı;

"-Yunanlılığın yüzyıllardır savaştığı o yerlerdeki, Anadolu'daki
ordumun başına geçmek üzere yola çıkıyorum. Ülkümüzü gerçek-
leştirmek amacıyla coşkuyla ilerleyen bu soyun savaşları, Tanrı'nın
yardımıyla parlak zaferle sonuçlanacaktır. Kazanacağımız zaferler,
atalarımızın yaptığı gibi, bizim de onlara en yüce özgürlük, eşitlik
ve adalet ülkülerini gerçekleştirmemizi sağlayacaktır. Silahlarımıza
soyumuzun geçmişi önderlik etmektedir. Parlak uygarlık geçmişi-
miz bize önemli görevler yüklemektedir. Bu görevleri başaracak
güçte olduğumuzu kıvançla gururla ilan etmeye hakkımız vardır. Bu
hakkı bize kutsal birliği ve eşsiz özverisi ile Yunan ulusu vermekte-
dir. Tanrı'nın yardımına, kahraman ordumun heyecanına ve Yunan
ülküsünün sarsılmaz gücüne güvenerek, ulusun yüce buyruğunun
beni çağırdığı oraya gidiyorum."[50]

Hristo, artık ilk Yunan işgal kuvvetlerinin İzmir'e çıkacağı gün-
lerdeki düşüncelerine sahip değildi. Zamanla babası Aleksandros'a
her geçen gün biraz daha hak veriyordu. İki yıldır yaşadıkları, hayal-
lerini kurduğu Büyük İdealin, yaşananlarla yakından uzaktan ilgisi
olmadığını görmüştü. Savaşın başlangıcında birkaç ayda yok ede-
cekleri söylenen başıbozuk olarak anılan Türk Çete Kuvvetleri, her
geçen gün güçlenerek, düzenli ordu ve kıt'alar olarak tertiplenmiş-
lerdi. Özellikle uyguladıkları askeri taktikler ve manevralar, ilerleyen

50 MÜDERRİSOĞLU, Alptekin, "Sakarya Meydan Muharebesi Günlüğü", Kastaş
Yayınları, İstanbul, 2004, s.11.

Yunan Tümenlerine oldukça büyük kayıplar verdiriyordu. Babası Aleksandros da bir mektubunda uyarmıştı;

"-Bak oğlum", demişti. "Türklerin en büyük özelliği dayanıklılığıdır. Savaşmak, onları zayıflatamadığı gibi daha da güçlendirir. Tarihleri boyunca kurdukları devletleri başka bir devlet yıkamamıştır. Genellikle bu Türk devletlerini ya kendi iç iktidar ve entrikaları ya da beceriksiz yönetimler ve maceraperestlikleri yıkmıştır. Yüzyıllardır, kilisenin körüklemesi ile Avrupa devletleri Doğuya, özellikle doğunun zenginliklerine engel gördükleri Türklere karşı kutsal ittifaklar yaparak ismine Haçlı seferi dedikleri görünürde, kutsal yerleri kurtarma, ama aslında doğunun sonsuz zenginliklerine ulaşmak ve güçlerine güç katma savaşları düzenlemişler, ama hepsi başarısızlıkla sonuçlanmıştı. Yüzbinlerce insan, zenginlik ve cennet vaatlerine kanarak bu sözde dincilerin peşinde Anadolu ve Ortadoğu'da kaybolup gitmişlerdir. Yüzyıllardır bu hırs hiç bitmedi, bitmeyecek de. Türkler zor zamanlarda hep bir araya gelerek daha güçlü ve dayanıklı olmuşlardır. Küçük Asya Seferi sonunda, karşımıza daha güçlü bir Türk milleti çıkacağına emin olabilirsin."

Hristo, Türklere karşı ilk savaşını İnönü'de Metris Tepe civarında vermişti. Ölümü bu kadar umursamayan askerlerle ilk kez karşılaşıyordu. Bulunduğu mevziyi ya emirle ya da ölerek terkediyorlardı. Düşmanın cesaretine hayran kalmıştı. Birkaç gece önce yemek geç geldi, diye ordugâhı terkeden Rum arkadaşlarını düşündü. Oysa, düşman dediği Türklerin arkadaşının tüfeğini alabilmek için onun yaralanmasını veya ölmesini beklediğini görmüştü. Kıyafetleri ve üniformaları perişan haldeydi. Hepsinde farklı bir kıyafet vardı sanki. Bulundukları mevzilere çakılmış gibi kalmaları, amansız direnişleri Yunan askerlerinin moralini bozmuştu. İki gün süren muharebelerde ne kadar çok yoğun taarruz etseler de, ilerleme kaydedememişlerdi. Morali bozulan, cephanesi azalan ve yorulan Yunan birlikleri taarruz mevzilerine çekilmek zorunda kalmıştı.

General Papoulas'ı da ilk kez İnönü'de görmüştü. Yanındaki kurmay subaylarına,

"- İşimiz hiç kolay olmayacak" diyordu, endişeli endişeli.

Bu geri çekilme tüm Yunan birliklerinde büyük bir moral bozukluğu yaratmıştı. Hristo,

"- Keşke bu yenilgiden ders alabilseydik ve hatlarımızı düzeltip ve daha ileri gitmeseydik" diye düşünmüştü o zaman. Ama Mart 1921 ayı başında ikinci kez İnönü mevzilerine taarruz birincisinden daha zor geçmişti. Hristo'ya göre, General Papuolas henüz birlikleri tam olarak tanıyamamıştı. Başta Kral olmak üzere tüm Yunan halkı ondan büyük bir zaferler bekliyordu. Ancak Ege Bölgesinde gittikçe artan Yunan askeri varlığı, beraberinde sorunlar getirmeye başlamıştı bile. Özellikle, yaklaşık 150 bin asker ve 100 binden fazla hayvanın yanı sıra yarısı bozuk ve çalışamaz durumda askeri kamyonlar ve 14 tane uçak için ikmal oldukça güçleşmişti.

Dikkate alınması gereken en önemli husus, Ege Bölgesinde işgal genişledikçe alan kontrolünü sağlayacak asker ihtiyacının artmaya başlamış olmasıydı. Başlangıçta beş bin kişilik bir mevcutla çıkılan işgale, bu askeri varlığı, Egeli yerli Rumların katılımıyla gitikçe artmış, ayrıca Yunanistan ve Adalarda bulunan yaşlı genç eli silah tutabilecek her Yunan erkeğin de katılımı ile 200 bine ulaşmış devasa bir ordu haline gelmişti. Alınan bu Rum ve Yunan erkeklerine hiçbir askeri eğitim verilmeden ellerine bulabildikleri silah ve malzeme verilerek cepheye sürülüyordu. Çoğu yoksul ve çaresiz olan bu insanlar, fanatik milliyetçilerin ve kötü niyetli din adamlarının körüklemesiyle atalarının vaad ettiği topraklara koşuyorlar ve zengin olma hayaliyle önlerine gelen köy ve kasabaları soyup talan ediyorlardı. Hatta bu talan ve soygun sadece Türk köy ve kasabalarıyla sınırlı kalmamıştı. Rum ve Ermeni köylerin de sık sık talan ve soygun haberleri geldiği de oluyordu.

İkinci İnönü yenilgisinden sonra, Yunanlıların işgal ettikleri yerlerdeki Türk halkına zulüm yaptıkları yolundaki haberlerde büyük bir artış olmuştu. İstanbul'daki Müttefik Kuvvetler Başkomutanlığı işin aslını anlamak amacıyla üç müttefik devletin temsilcilerinden oluşan bir soruşturma kurulunun Mayıs 1921 ayı başlarında Batı Anadolu'ya göndermişti. Müttefikler arası soruşturma kurulu adıyla anılan kurulda, İngiltere'yi Teğmen Hollando, Fransa'yı Yüzbaşı Lucas, İtalya'yı Teğmen Banaccorci temsil ediyordu. Kurula ayrıca merkezi Cenevre'de olan Uluslararası Kızılhaç örgütü temsilcisi Maurice Gehri ile bir Türk polisi de katılıyordu. Kurul, Yalova ve Gemlik dolaylarında araştırmalar yapmış, varılan sonuçları içeren raporlar hazırlanmış ve Mayıs ayının son haftası İstanbul'a dönmüştü.

Rapora göre, Kurul İngiliz savaş gemisi Bryony ile Kapaklı'ya gitmişti. Karaya çıktıklarında Kapaklı'nın tümüyle yakıldığını görmüşlerdi. Köyün halkı dağlara kaçmışlardı. Uzuvları kesilmiş sekiz ceset bulmuşlardı. Dördü kadındı. Bulunabilen tanıklar, bunları yapanların Yunanlıların 28. Alayına bağlı bir birlik olduğunu söylemişlerdi. Birliğin komutanı Teğmen Kostas da yangının askerler tarafından çıkarıldığını söylemişti.

Kumla'ya geldiklerinde tutuklanan dört silahlı Türk'ün Teğmen Kostas tarafından vurularak öldürüldüğünü duyan kurul üyeleri sormuşlardı;

"-Alay Komutanlığı yalnızca tutuklama emri verdiği halde, neden tutukladıktan sonra vurdunuz?

Teğmen Kostas kısaca yanıtlamıştı,

"- Çünkü öyle istedim."

Kurul, ayakta kalabilen iki köyden biri olan Akköy'ye gitmişti. Köyün evleri tümüyle boştu. Kapı, pencere diye bir şey kalmamıştı. Bir evde küçük bir çocuk ağlaması duyunca şaşırmışlardı. Darmadağın yorganlar arasında altı aylık bir bebek bulmuşlar ve Kızılhaç'a teslim etmişlerdi. Köyün yakınlarında yeni örtülmüş çukurlarda 60 ceset çıkartılmış, bunların 49'nun isimleri saptanabilmişti.

Müttefikler arası soruşturma kurulu, Yunan işgal komutanlığı görevlilerinden Yüzbaşı Papagrigoriou'ndan bilgi almak istemişti. Yüzbaşı güveni sağladığını, Türklerin huzur içinde olduğunu söylüyordu. Kendisine kanıtlar getirilince olaylardan haberi olmadığını ileri sürüyordu. Ona göre yalnızca iki köy yakılmış ve olağanüstü günlerde tek tük böyle olaylara rastlanabilirdi. Kurul üyeleri 24 köyün yakılmış olduğunu söyleyince konuyu değiştirmeye çalışmıştı. Ona göre Türkler iylikten anlamıyorlardı. Güvenlik ve mutluluk içinde yaşamalarını tepiyor, köylerden erkekler Türk ordusuna katılmak için gece Yunan hatlarını geçip Karamürsel'e gidiyorlardı. Köylerde erkeklere rastlanmayışının sebebi buydu. Üyelerden biri dayanamayarak söylemişti.

"- Fakat bizim bulduğumuz cesetlerin çoğu erkekti."

Yüzbaşı susmuştu. Olaylar Yüzbaşı Papagrigoriou'bilgisi altında belki de desteği ile Türklerin yavaş yavaş yok edilmek istendiğini ortaya koyuyordu. Kurul üyeleri köylerde geri kalan kadın ve çocukları kurtarmak için, bunları Kızılhaç ve Kızılay yardımıyla İsatanbul'a göndermek istemiş, ancak Yunan Yüzbaşı buna da izin vermemişti."[51]

Kurul, 27 Haziran 1921 günü Gülnihal vapuru ile İzmit'e geldi. Vapur sıcaktı ve alev dalgalarından rıhtıma yaklaşamıyordu. Korkunç bir ateş dünyası içinde kalmışlardı. Yunanlılar İzmit'i ateşe vermişlerdi. Bütün sokaklar alevler içindeydi. Kadınların çığlıkları

---

51 MÜDERRİSOĞLU, Alptekin, a.g.e, s.53-54

kıyıya yüz metre uzaklıkta demirleyen vapura geliyordu. Kızıllıklar içinde koşanları, düşenleri, feryat edenleri görülüyordu. Kentte hiç kesilmeksizin silah sesleri geliyor, zaman zaman bir binanın büyük gürültü ile havaya saçıldığını görülüyordu. Türklerin deyişiyle bir ana baba günüydü. Limanda bulunan İngiliz ve Amerikan savaş gemileri geri çekildiler. Rıhtıma yakın bir sokaktan koşarak gelen üç-dört kişi kendilerini denize attılar. Fakat arkalarından koşan üç Yunanlı asker ateş ederek adamları su içinde öldürdüler.

Burada bulunan Müttefik İnceleme Kurulu, soykırım konusunda Yunan Komutanını uyradığı halde, kurul gelmeden bir gün önce müthiş bir insan avı başlamıştı. Yerli Rumlar bütün evleri yağma etmişler ve kimsenin evden çıkmamasını, çıkarlarsa öldürülecekelerini söylemişlerdi. Türklerin bir bölümü yazgılarına boyun eğmiş oturmuş, bir bölümüde kaçmıştı. Üçbine yakın Türk de Fransız okuluna sığınmıştı. Bunu haber alan yerli Rumlar ve Yunanlılar Okulu havaya uçurmak istemişler, fakat burada bulunan Fransız Yüzbaşı Nicol Jayers, Amerikalı Komutanla birlikte okulun çevresini müttefik askerlerle kuşatmış, bunun üzerine yaklaşmaya cesaret edememişlerdi.

Müttefik İnceleme Kurulu bir günde öldürülen 7400 kişiden ancak 360'ının adlarını saptayabilmiş. Akşama doğru vapurdan karaya çıkınca bu cesetleri biz de gördük. Hiçbirinin göz, kulak, burun ve parmağı kalmamıştı. Bir çocuğun çamurla oynaması gibi bu insanlar üzerinde oynanmıştı. Saat 19.00'da bir Fransız askeri yerli Rumlardan bir çeteciyi yakalamıştı. Doğru bize getirdi. Köşe başında genç bir kıza tecavüz ederken arkasından kafasına vurarak bayıltmış, tüfeğini ve kasaturasını almış. Rum'un sırtındaki Yunan askerinin çantasında 120 tane kadın bileziği, 700 altın ve çok miktarda kağıt para bulduk.

Ateş içinde kalmış İzmit sokaklarında bir arada gezen Fransız deniz erlerini gördük. Bunlar kentteki cinayetleri kıyıdaki savaş gemilerinden seyretmişler, dayanamamışlar. Deleros adında bir Teğmen, komutanından izin alarak 35 deniz eri ile kıyıya çıkıp gördüğü bütün Türkleri bir araya toplamış ve gemilerine götürmüş. Teğmen Deleros büyük bir öfke içindeydi. Canlı, kanlı sporcu bir gençti. Elindeki tabancayı sürekli sağa sola sallıyor;

"- Sauvagerie! Sauvagerie!"[52] diye haykırıyordu.

Yunanlılar, bize okul kitaplarında okutulan Elen uygarlığının temsilcileri değildirler. İstila orduları girdikleri yerlere yerleşmek isterlerse, zulümden ve işkenceden kaçınırlar. Yapılan bu kötülüklerin sonuçlarının ortaya konulması çok uzun zaman alacaktır. Türklerin can, mal, para olarak büyük yitikleri vardır. Eğer Türkler bellekleri zayıf bir ulus değilseler, komşularına pek güler yüzlü olmayacaklardır.

Maurice Gehri, Müttefik İnceleme Kurulu Kızılhaç Temsilcisi[53]

Rüzgâr ekenler artık fırtına biçiyorlardı. Önü alınanmaz bir başıbozukluk ve yağma, ordunun disiplin ve savaşma gücünü de etkiliyordu.

Neyse ki, Temmuz ayında Türklerin yapmış olduğu bir stratejik hatadan yararlanan Yunan komutanlar, ani bir taarruzla Afyon, Kütahya ve Eskişehir'e girmişti. Bu kazanım oldukça rahatlatmıştı Helen Ordusunu. Karargâh içinde, artık Türklerin dayanma gücü kalmadığı, bundan sonraki hedefin Ankara olduğu sık sık konuşulmaya başlanmıştı. Kral Constantin'in ordunun başına geçmek üzere İzmir'e yola çıkması, ordu içinde bu inancı iyice artırmıştı.

General Papoulas, İnönü mevzilerindeki başarısızlığını ve se-

---

52 Vahşet, vahşet
53 MÜDERRİSOĞLU, Alptekin, a.g.e, s.139:141

beplerini iyi tahlil ederek bir sürü sert önlemler almıştı. Disiplini ve düzeni bozan her kim olursa olsun en ağır şekilde cezalandırma yoluna gitmiş, yağma ve talana kesin yasak getirmişti. Bunun ilk sonucunu da Kütahya ve Eskişehir Muharebelerinde almıştı. Bu kazanım onun için Ankara'nın kapılarını açma adına atılan en büyük adımlardan biriydi.

Ama Hristo, komutanla aynı fikirde değildi. Artık bir hat belirlenmeliydi ve orada durulmalıydı. Bu hat, savunma hattı olmalıydı. Çünkü Yunan ordusunun ve askerlerinin ilerleme gücü ve takati kalmamıştı. Askerler yarı aç yarı tok, araçlar arızalı, tüfeklerin büyük bir kısmı tamirle çalışıyordu. Bursa ve Eskişehir'den uzaklaşmak demek daha geç yiyecek ve mühimmatın gelmesi anlamına geliyordu. Ulaşım yol, köprü ve demiryollarının birçoğu Türkler tarafından tahrip edilmişti. Mesafe uzadıkça Türk süvarileri ikmal konvoylarına sızarak araçları ve malzemeyi tahrip ediyorlardı.

Ankara çığlıkları atanların bütün bunları net bir şekilde görmeleri gerekiyordu, ama Kral Constantine'in başına geçtiği Helen Ordusu bunu başarmalıydı.

Hristo, babasının sık sık bahsettiği Çanakkale kahramanı Selanikli Türk General Mustafa Kemal'in ismini son bir yıldır çok sık duymaya başlamıştı. Padişaha ve Osmanlı Hükümetine isyan ederek Anadolu'da işgale karşı bir örgütlenme oluşturduğu, hatta Ankara'da yeni bir hükümet kurarak Padişahı tamamen devreden çıkardığı söyleniyordu. Başlangıçta isyancı general, çete reisi diye bahsedilirken artık bu günlerde ismi daha saygın ve seviyeli geçiyordu karargâhta. Türk kuvvetlerine "Kemalin Ordusu" deniliyordu.

"- Artık dönüşü olmayan bir yoldayız" diye geçirdi içinden, sigarasından bir nefes daha çekerek. Babasının baskısıyla iki yıl öncesine kadar sigara içememişti. Arkadaşları arasında büyük bir gençlik, delikanlılık simgesiydi sigara içmek. Ama artık bu simgeler için sigara içmiyordu Hristo, gördükleri, duydukları, yaşadıkları bu tütün illetine yavaş yavaş bağımlı kılmıştı genç bedenini.

Ordu büyük bir taarruz hazırlığı içindeydi günlerdir. Kral Constantine'in de Anadolu'ya gelmesiyle Türklere son darbeyi vurarak önce Ankara'yı ele geçirip Kemalin Ordusunu dağıtarak, büyük Yunan idalini gerçekleştireceklerdi. Batı Anadolu'dan, Afyon üzerinden, Tümenler hareket halinde Anadolu'ya doğru ilerliyorlardı. Türk Kuvvetlerini batıdan tespit edip, güneyden büyük bir taarruzla yok etmek temel hedefti.

Tüm Yunan kuvvetleri 21 Ağustos 1921 günü Sakarya Nehri'nin batı kıyılarında tertiplenmiş saldırı için son hazırlıklarını yapıyorlardı.

Yunan Küçük Asya Ordusunun 21 Ağustos 1921 günü tertiplenmesi şöyle idi;

Komutan: Korgeneral Papoulas

Kurmay Başkanı: Albay Pallis

1.Kolordu Komutanı General Kondilis (1.,2., ve 12. Tümenler)

2.Kolordu Komutanı General Prens Andrew (5.,9.,ve 13. Tümenler)

3.Kolordu Komutanı General Polimenakos (3.,7., ve 10. Tümenler)

Bir Tümenle başlanan Küçük Asya harekâtı, 21 Ağustos'ta 11 piyade tümeni ve bir süvari tugayına yükselmişti. Birliklerin önceki zayiatları ordulardan telafi edilmişiti. Bu telafiden sonra sefer ordusunun kuvveti 5500 subay, 178.000 er ve 48.900 hayvandı. Sakarya taarruzuna katılacak savaş gücü ise 3780 subay, 120.000 er, 75.900

tüfek, 2768 makineli tüfek, 286 top, 1380 kılıç, 886 kamyon ve 18 uçaktan, Türk Kuvvetleri ise 6855 subay, 122.186 er, 63.416 tüfek, 868 makineli tüfek, 181 top, 1309 kılıç ve 2 uçaktan oluşuyordu.[54]

23 Ağustos 1921 günü, Yunan tümenleri öğleden sonra Türk savunma hatlarının ilerisindeki ileri karakol ve emniyet kuvvetleriyle çarpışmaya başlamışlardı. 2. Yunan Tümeni İnlerkatrancı-Keçikıran çizgisine doğru ilerleyerek Türk tümenleriyle çatıştılar. Bir saat sonra Temürözü tepesinin güney sırtlarını ele geçirdiler. 12.Tümen, Mollaresul tepesindeki Türk birliğini geri atarak kısa sürede bu tepeyi ele geçirdi. 1. Tümen Türk Süvari Tümeninin oyalama muharebelerini kırarak Mangal Dağına doğru ilerlemeye başladı. 13.,5.,9. Tümenler Türk savunma hatlarına yanaşmalarını sürdürüyorlardı. Akşama doğru İnlerkatrancı-Mollaresul-Tepeköy hattına beş tümen toplanmış, bunlardan 1. Tümen Mangal Dağı istikametine taaruza geçmişti.

Yağmur başlamıştı. Sabah pırıl pırıl olan hava birden kararmış ve kulakları sağır eden gök gürültülerinin altında bir yaz yağmuru, ilerleyen birinci Tümenin arkasından rüzgârla birlikte gittikçe şiddetini artırıyordu. Dağın güney sırtlarında Türk siperleri yağmurun altında açıkça gözüküyordu. Tanrı bir kez daha büyük Helen ordusunun arkasındaydı. Çünkü şiddetlenen yağmurun etkisi ile Türk siperlerine doğru yağan sağnak yağmur, Türk askerinin bırakın nişan alıp ateş etmesini, birkaç metre ilerisini bile görmesini oldukça güçleştirmişti. Yağmur ve sis tümenin hareketini oldukça kolaylaştırmış, zayiat vermeden Türk siperlerinin dibine kadar yanaşmışlarıdı. Tümendeki subay ve erler arasında savaşın bu ilk günü gerçekleşen ilahi takdir, savaşın Helen ordusunun büyük zaferiyle tamamlayaca-

54 *KÖYLÜ, Murat, "1919-1922 Döneminde Türk Ordusu İkmal Sistemi İle Yunan İkmal Sisteminin Karşılaştırılması* ", Doktora Tezi, Dokuz Eylül Üniversitesi Atatürk İlkeleri ve İnkılap Tarihi Enstitüsü, İzmir, 2006, s.241

ğının işareti olarak yorumlanmıştı. Çünkü Mangal Dağı Türk savunmasının kırılması ve ve kuşatma yapılabilmesi için Haymana'nın 25 kilometre güneyinde, ana savunma çizgisine göre ileriye doğru çıkıntı yapan tek başına bir doğal mevzi durumundaydı. Yunan Karargâhı, bu dağın savunmasını kırılması, Türklerin sonunu getireceğine inanıyordu.

Gece yarısına kadar süren şiddetli muharebe sonunda Türkler Mangal Dağını 1.Tümen birliklerine bırakarak geri çekildiler. Türkler çekilirken, yağmur dinmiş ve hava açılmaya başlamıştı. Ortalık zifiri karanlıktı.

24 Ağustos 1921'de Mangal Dağının Yunan birliklerince ele geçirilmesi Türk tarafında büyük bir moral bozukluğu yaratmıştı. Yunan Karargâhı ise bundan sonraki harekâtın kapısını açan bu başarının sevincini yaşıyordu. General Papoulas, Yunan halkına dünkü başarısını büyük bir gururla bir resmi bildiriyle anlatıyordu;

"- ...Sakarya'nın güneyinden ordumuz, Göksu ve Katrancı'nın düşman ileri mevzilerini ele geçirmiştir. Sol kanadımız Göksu'yu geçip dün akşam ırmağın kuzeyindeki dağ zincirlerindeki mevzileri ele geçirmiştir. Geceleyin düşman şiddetli bir hücuma geçmişse de kolayca püskürtülmüştür. Geceleyin düşman ırmağın kuzeyindeki asıl mevzilerine çekilmiştir..."[55]

Yunan birlikleri, bir gün önce elde ettikleri başarıyı genişletmek ve en kısa sürede Ankara yolunu açmak maksadıyla, Polatlı'nın 14 kilometre güney batısındaki Beylikköprü kesiminden de taarruza başladılar. 7. Tümen Beylikköprü'nün hemen güneyindeki sazlıklar içinden önceden yerleştirdikleri köprülerle Sakarya nehrini geçerek,

---

55 Yunan Genelkurmay Başkanlığı Beynelmilel Askeri Tarih, "**1919-1922 Küçük Asya Seferinin Özetlenmiş Tarihi**" (Basılmamış musvette eser), Askeri Tarih İdaresi Yayını, Atina, 1967,

nehrin doğu yamaçlarında tertiplenmeye başladılar. Sakarya'nın doğusuna geçilmesi Yunan askeri için yeni bir başarıydı. Türk Kuvvetleri gün boyunca ve hatta gece boyunca sürdürdükleri karşı taarruzlar, Yunanlıların Sakarya'nın batısına geçmesine engel olamadı. Beylikköprü'nün de kaybedilmesi, Türk tarafında ikinci bir moral bozukluğu, Yunan tarafında ise moralin büyük ölçüde yükselmesine neden olmuştu.

Artık savaş bütün şiddetiyle başlamıştı. Her iki taraftan da cephe gerisine ölü ve yaralılar durmadan gönderiliyordu. İki gün boyunca elde edilen başarılar Yunan Karargâhındaki subayların iştahını oldukça kabartmıştı. Ama Kemal'in Ordusunun da bu savaşı kabul ettiği ve kolayca mevzileri terkederek Yunan birlikerinin Ankara'ya girmesine izin vermeyeceği de açıktı.

Kral Constantine, Kütahya'ya yerleşmiş ve savaştaki tüm gelişmeyi dakika dakika izliyor, gelen başarıları anında Yunanistan'a ileterek ona güvenip başkomutan yapan halkına sevinç ve gurur yaşatıyordu.

İngilizler'de kendi namı hesabına Anadolu'ya gönderdikleri Helen ordusunun başarısını adım adım, Anadolu'da kurdukları Black Jumbo adlı gizli örgüt kanalıyla izliyorlardı. İngiltere'nin Anadolu üzerine de yaptığı tüm hesapların tutması Yunan askerinin başarısına bağlıydı bir bakıma. Karşılarında her dediklerini kabul eden bir İstanbul Hükümeti yoktu ve isteklerini yaprırabilmek için Ankara Hükümetinin yok edilmesi gerekiyordu.

Black Jumbo örgütü, Anadolu'da köy ve kasabaları dolaşarak özellikle hilafet yanlısı kimselerle temas kurup, bol bol altın dağıtarak Ankara hükümeti ve ordusu hakkında her türlü bilgiye kolayca ulaşabiliyordu. Savaşın başlangıcından beri, Türk birliklerinin her hareketi bu örgüt tarafından dakika dakika öğrenilmişti.

25 Ağustos 1921 gününün ilk saatlerinde, 1. Yunan Kolordusu 3 tümeniyle (1., 2., ve 12.) Türbetepe'ye taarruza geçti. Türbetepe, Mangal Dağından sonra cephenin en kritik mevzilerinden biriydi. Sabah saatlerine kadar süren süngü savaşlarından sonra, Türk birlikleri Türbetepe'yi boşaltarak geriye çekildiler. Yunan birlikleri hemen hemen stratejik sayılan bütün tepeleri ele geçirmişlerdi. Bu nedenle Türkler için Mangal Dağı'nın ve Türbetepe'nin tekrar alınması hayati önem arz ediyordu.

Türk kuvvetleri dört koldan, Mangal dağı istikametine büyük bir taarruz başlattılar. Hava kararıncaya kadar süren kanlı çarpışmalardan bir sonuç alamayan Türk Kuvvetleri geri çekilmek zorunda kaldılar. Çarpışmalarda en çok dikkati çeken, Yunan Evzon Alayı ile Türklerin Topal Osman Alayının milli kıyafetleriyle savaşmalarıydı. Evzon askerleri, pileli kat kat eteklik üstüne beyaz gömlek ve cepken, eteğin altına ucu büyük ponponlu yumuşak ayakkabı ve uzun beyaz çorap, başlarına ucu püsküllü küçük bir takke giyiyorlardı.

Giresunlu Topal Osman Alayı, özellikle Karadeniz bölgesinde Türk köylülerine yaptıklarını önlemek üzere kurulan bir çete olarak kurulan ve sonraları hızla büyüyen bir yöresel birlikti. Doğu Karadeniz bölgesinde, Pontusçu Rum çetelerinin korkulu rüyası olmuş, aşırı sert davranışlarla dikkati çekmişti. Yakaladığı Rum çete liderlerini canlı canlı gemi ateşhanelerinde yaktığı söyleniyordu. Topal Osman Alayı da çatışmalara kendilerine özgü, çetecilik günlerinde olduğu gibi Karadenizin yöresel kıyafetlerini giyiyorlardı.

Kral Constantine, Kütahya'dan Eskişehir'e gelerek varlıklı bir Türk evine yerleşmişti. Burada İngiliz Daily Telgraf muhabirine verdiği demeçte,

"- Türklerin 50 bin kişilik kuvvetinin Yunan ordusu karşısında fazla direnemeyeceğini ve çok yakında Ankara'ya gireceğini" söylüyordu.

Bu günün sonunda, Türklerin, Mangal Dağına yapılan taarruz ve karşı taarruzdan sonuç alınamış, ancak Türbetepe Türk Kuvvetlerine tekrar bırakılmıştı.

26 Ağustos 1921'de Yunan Küçük Asya Ordusu Komutanı Korgeneral Papoulas, sabah başlayacağı taaruz için Kolordulara şu emri iletmişti.;

"- 3. Kolordu, 7. Tümeniyle Polatlı'yı ele geçirdikten sonra Türkhöyüğü yönünde asıl kuvvetleriyle Haymana tönünde taarruz edecek, 1. Kolordu, doğrudan Haymana yönünde taarruz edecek, 2. Kolordu, Güzelcekale yönünde taarruzla Kızılkoyunlu'ya yönelerek Türk cephesinin güney tarafını kuşatacaktır.[56]

Genaral Papoulas'ın kafasındaki Haymana, Polatlı yönünde cepheyi yararak, Ankara yolunu açma planını bu gün uygulayacaktı.

2. Kolordu Komutanı Prens Andrew, bütün amacı Ankara'ya ilk önce kendi kolordusu ile girerek Kral ailesinin konumunu, Yunanistanda daha da güçlü hala getirmekti. Bu zaferle Yunanistan'da Venizelosçulara karşı büyük bir üstünlük sağlayacak ve onları tarihe gömecekti.

Prens Andrew, bir tepeden kolordusunun saldırısını izliyordu. Özellikle 5. Tümenin Sinanlı- Çeltikli yönündeki ilerleyişini büyük bir keyifle seyrediyordu. Saldırının bu tempoyla ilerlemesi halinde, Türk cephesinin Güney kanadının kuşatılması kolayca gerçekleşecekti. Prens Anderw'in yanında Kolordu Kurmay Başkanı Albay Gavalias ile Küçük Asya ordusu Komutanı Papoulas'ın irtibat subayı olarak gönderdiği Albay Vernardos vardı.

---

56 NİDER, General K., " **Küçük Asya Harekatı I. Devre"** (Basılmamış musvette eser), (Çev: Piyade Asteğmen Lefter Ksontoplos), Yunan Büyük Askeri Bahri Ansiklopedisi, Atina, 1928

Bir ara Albay Gavalias, sol kanattan ateş sesi gelmediğini belirterek, 1. Yunan Kolordusunun çatışmalara katılmadığını söyledi. Gavailas'a göre, Papoulas'ın bütün kolorduların taarruzlarını birleştirmemesi üzüntü vericiydi. İki gün önce 1. Kolordu savaşırken, 2. Kolordu boş durmuştu. Şimdi de 2. Kolordu savaşırken, 1. Kolordu seyirci kalıyordu.

Albay Vernardos'a göre, Papoulas'ın tutumu yerindeydi. Türkler 1. Kolorduya karşı saldırıya geçmiyorlar, buna karşılık 2. Kolordu toprak kazanarak hızla ilerliyordu. Bu düşünceleri dile getirirken Albay Vernardos, Prens Andrew'e şu öneride bulundu,

"-Gerideki 9. Tümeni Karacaören yönüne gönderiniz ve sağdan yapılacak geniş bir çevirme harekâtıyla Türklerin geri çekilmesini kesiniz."

Prens Andrew;

"-Düşmanın böyle bir kararı haklı gösterecek bir çekilme içinde olduğunu sanmıyorum. 13. Tümen şimdi Türklerin önemli bir direnişi ile karşılaşmıştır. 5. Tümen ilerleyişini sürdürmekte, Çangarides Müfrezesi de bu tümenin sağında ilerlemektedir. Bu durum, ileri yürüyüşü kolaylaştıracak biçimde bir kuşatma harekâtının gelişmekte olduğunu göstermektedir. Böyle bir durumda 2. Kolordunun yan ve gerisini korumakla görevli 9. Tümeni gereksiz yere tehlikeye sokmaktan başka bir anlam taşımayacaktır.

Albay Vernardos, Prens Andrew'in çekingenliğini yenmek için yeni bir öneride bulundu.

"- Size, Ordu Komutanlığı adına yazılı emir verebilirim. Bu konuda yetkili olduğumu gösterir belge yanımdadır.

Albay Vernardos, cebinden çıkardığı belgeyi Prense uzattı. Papoulas'ın Kurmay başkanı tarafından imzalanmış belgede şunlar yazıyordu,

"-Bir kuşatma harekatı için zamanının gelmiş olduğunu, sizin görüşünüzle ben de kabul ediyorum."

Durum aydınlanmıştı, Albay Vernardos bir kuşatma harekâtı için fırsat kollamak amacıyla 2. Kolorduya gönderilmişti. Fırsat doğunca, Küçük Asya Ordusu Komutanı Papoulas adına Prens Andrew'e emir verecekti.

Prens, kendisinin yeteneksiz bir komutan yerine konmasına içerlemişti. Doğacak bir fırsatı değerlendiremeyeceğinden kaygı duyulmasından da ötede bir anlam taşıyordu. Kral ailesinden bir Kolordu Komutanını bir albay aracılığı ile yönetmek ne demekti? Bunun orduya yayılması durumunda Kral ailesinin otorite ve prestiji zedelenecekti. Prens Andrew, asıl canını sıkan konuyu gizlemeye çalışarak;

"- Küçük bir olasılığa dayanarak, sorumluluğu bana ait olan bir harekete girişemem."[57]

Oysa Türk Kuvvetlerinin cephedeki en zor günüydü. 9. Tümenin yapacağı bir çevirme harekâtı, Türk kuvvetlerinin çözülmesine ve dağınık bir şekilde geri çekilmesine ve Haymana Polatlı istikametinin açılmasına sebep olabilirdi. Kibir, gurur bu harekâta izin vermemişti.

Yunan ordusu bütün cephelerde şiddetini artırarak sürdürüyordu. Aynı cesaretle direnen ve bulundukları mevzileri savunan Türkler, kısa bir mesafe geri çekiliyor ve tekrar savunma düzeni alıyorlardı. İki ordu da kahramanca ve büyük bir azimle savaşıyordu.

Yunan subaylarını şaşırtan bu savunma şekliyle ilk kez karşılaşıyorlardı. Alışılagelmiş taarruzlarda, savunan eğer mevzilerinde tutunamaz hale gelirse cephenin yarılmasını önlemek için zayıf olan

---

57 MÜDERRİSOĞLU, Alptekin, a.g.e, s.405-406

birlik çekildiği yere kadar cephe birlikleri geri çekilir ve savunma hattı düzgün tutulurdu. Bu çekilme birliğin çapına göre derinliğine emniyetli bir mesafeye kadar olurdu. Bu çekilmeyle, taarruz ede tekrar toparlanmak için, savunan tekrar tertiplenmek için zaman kazanırdı. Ancak, Türklerin bugün uyguladıkları savunma taktiği, belli bir savunma hattı yoktu. Yoğun baskı altında dayanamayan birlikler çok kısa bir mesafe geri çekilerek tekrar savaşa devam ediyordu. O birliğin sağında ve solunda olan birlikler ise yerlerinden kımıldamıyorlardı. Dolayısıyla taarruz eden sürekli savaştığı için yoruluyor, yıpranıyor ve kaybı fazla oluyordu. Bunun sebebini araştıran Yunan komutanlar, esir düşen Türk subaylarından, Türk Başkomutanı Mustafa Kemal'in o gün vermiş olduğu emri anlatmışlardı.

"-Hattı müdafa yoktur, sathı müdafa vardır. O satıh bütün vatandır. Vatanın her karış toprağı vatandaş kanı ile ıslanmadıkça terkolunamaz. Onun için küçük büyük her birlik bulunduğu mevziden atılabilir, fakat küçük büyük her birlik, ilk durabileceği noktada yeniden düşmana karşı bir cephe kurup çarpışmasını sürdürür. Yanındaki birliğin çekilmek zorunda kaldığını gören birlikler ona bağlı kalmaz. Bulunduğu mevzide sonuna dek direnmek ve karşı koymak zorundadır."[58]

Yunan Küçük Asya ordusunun sabahın erken saatlerinde başlayan genel taarruzu, gece geç saatlere kadar çok kanlı bir şekilde sürdü. Ancak akşama kadar süren bu çarpışmalarda en fazla 12 kilometre ilerleyebilmişlerdi. General Papoulas'ın Kral Constantin'e 5 Eylü 1921 günü Ankara'da basın toplantısı yapabileceği sözü, şimdiden iyimser bir tahmin olarak gözüküyordu. Zira Türklerin kolay kolay bulundukları mevzileri terketmeyeceği görünüyordu.

Savaşın uzamasının her iki taraf içinde önemli bir sıkıntısı, sa-

---

58 Kemal, MUSTAFA, "NUTUK", Ankara, 1927

vaşan askerlere, yiyecek, su ve en önemlisi mühimmat ulaştırmada çekilen sıkıntılardı. Yunan ordusunun elindeki kamyonların çoğu arızalı veya yürümekte güçlük çekiyorlardı. Özellikle Ege bölgesinde bulabildikleri kadar, deve, katır, at ve merkepleri sürücüleri ile birlikte ikmal yapmak için zorla almışlardı. Ancak, özellikle Türk süvari birlikleri sık sık bu konvoylara taarruz ederek zaten zor şartlarda devam eden ikmali oldukça aksatmaktaydı.

Bütün bunların yanı sıra Yuna ordusu askerleri arasında savaşın uzamasından kaynaklanan huzursuzluklar da baş göstermeye başlamıştı. Savaş başlamadan önce zayıf Türk kuvvetlerinin birkaç günde bozularak dağılacağı ve kolaylıkla Ankara'ya gidileceği söylenti olarak yayılmıştı. Ancak, savaşın ilk iki gününden sonra öngörülen sürede ilerleme kaydedilemeyince, bazı birliklerde huzursuzluklar başlamıştı. 9. Tümen askerleri savaşmayacaklarını bildirerek geriye doğru gitmek istemişlerse de, komutanlarının savaşın kısa süreceği konusunda söz vermeleri üzerine faaliyetlerine son vermişlerdi.

27 Ağustos 1921'de, gece yarısından beri hiç kesilmeden devam eden Yunan taarruzları sonucunda Çiftetepeler'i ele geçirmişlerdi. Ancak cepheyi yarmayı başaramamışlardı. Büyük kayıplar vererek geri çekilen Türk askerleri yeniden savunma hattlarını kurarak yeni savunma hattı oluşturmuşlardı.

Hristo, savaşı Ordu Komutanlığı karargâhında yakından takip ediyordu. Her gün esir alınan Türk asker ve subaylarının sorgularına katılıyor, onlardan alınan istihbaratlar Komutan Papoulas'a rapor halinde sunuluyordu. Karargâh Uzunbeyli Köyünde büyük bir ikmal ve dağıtım noktasının yanına kurulmuştu. Dağıtım noktasının yanı sıra bu köyde, yaralılarla dolu iki seyyar hastahane ve bir uçak filosu da bu köyde bulunuyordu. Karagâhta General Papoulas'ın konuğu olarak karaliyet ailesinden Prens George da oradaydı.

Hristo her zaman olduğu gibi bu sabah ta erkenden kalkmış, traşını olduktan sonra dün yazılan Türkçe raporları Yunancaya çeviriyordu. Çalıştığı çadır, Genaral Papoulas'ın çadırıyla bitişikti. Dışarıdan silah ve nal sesleri gelmeye başlamıştı. Tüfeğini kaparak dışarı fırladı, güney yamaçlardan bir toz bulutu içinde dolu dizgin yüzlerce Türk atlısı süratle Karargâha doğru geliyordu. General Papoulas ve misafiri Prens George, aceleyle kapıda bekleyen iki otomobile binerek batıya doğru hızla uzaklaşmaya başladılar.

Bu bir baskındı. Türk süvarileri karargâha kadar gelerek, Başkomutanı ve tüm karargâhı esir alabilirdi. Belki de zafere giden ordu bu baskınla dağılabiliridi. Her tarafta büyük bir kargaşa, toz, duman, kurşun sesleri, Türkçe, Yuanca bağrışlar emirler... Tam bir can pazarıydı ortalık.

Hristo, telaşla içeri girerek sorumluluğundaki istihbarat belgelerini toplayıp yakmaya başladı. Bunlar, Türklerin eline geçerse, günlerce hazırlanan tüm taarruz planları öğrenilmiş olacaktı.

Çadırın girişindeki bez örtü hızla açıldı.

Elinde filintası ile uzun boylu bir Türk askeri ile göz göze gelmişti. Asker, terden sırılsıklam ve derin derin soluyordu. İzmir'in işgalinden beri birkaç kere çatışmaya girmişti, ama ilk kez bir Türk askerine bu kadar yakındı. Her an silahın patlayacağı ve yere düşeceğini düşünmeye başladı. Korku, heyecan tüm vücudunu sarmış, boncuk boncuk terlemeye başlamıştı. Yaşamının son saniyeleri bir türlü geçmek bilmiyordu.

Türk askeri elindeki silahı yavaşça indirdi ve Hristo'nun yüzüne dikkatle bakmaya başladı. İkisi de büyük bir şaşkınlık ve dehşet içindeydiler. Birbirlerini çok iyi tanıyorladı, zira. İki komşu mahalle çocuklarıydılar. Elinde silahıyla biraz önce onu öldürmek isteyen uzun boylu Türk askeri, âşık olduğu, yollarını gözlediği güzeller güzeli Saliha'nın kardeşi Salih'ti.

Salih'in yüzünde Saliha'yı görüyordu. Kimbilir neredeydi şimdi? En son Akhisar'da görmüştü geçen yıl. Teğmen Kostas'ın takımından ayrıldıktan sonra, Manisa ve havalisinde görev almıştı. Akhisar'a giren ilk Yunan Taburunda tercümandı. Tabur Akhisar'a girdiğinde, Türkler bir okulda toplanmış sıradan sorguya çekiliyordu. Hayriye Hanımla Saliha da onların içinde idi. Rum çeteleri güzel kızları seçip, Yunan askerlerine göndermek için ayırmaya çalışırken dikatini çekmiş hemen koşarak onların elinden almıştı. Sıkıca tutmuştu o dokunmaya bile kıyamadığı pamuk ellerini. Cebinden çıkardığı, kırmızı ipek mendille gözyaşlarını silmişti sessizce. Tabur Komutanına giderek oradaki tüm Türklerin evlerine gitmesi için yalvarmıştı. İnce ruhlu Tabur Komutanı Yüzbaşı Theotokis verilen emirlere rağmen Türkleri sorguladıktan sonra kadın ve çocukların emniyetini alarak serbest bırakmıştı.

O gece, Hayriye Hanımla Saliha, kurtarıcıları komşu mahallerinin bu cesur Rum delikanlısını oğulları Salih'in yerine koymuşlar ve en sevdiği yemekleri hazırlamışlar ve temiz bir döşekte misafir etmişlerdi. Dede Hüsrev Efendi, İzmir'den gece kaçarken yolda yolculuğa dayanamayıp ölmüştü. İki kadın, evlerinin tek erkeği Salih'i sağ salim dönmesi için gece gündüz dua ediyorlardı. Sabah uyandığında, Salih'in içliklerinden temiz çamaşır getirmişti Saliha, hafifçe kapıyı tıklatarak kapı önüne koyup gitmişti. Gece tüm elbiselerini yıkamış Hayriye Hanım ve kömür ütüyle bir güzel ütülemişti. İki Türk kadının canlarına, namuslarına kast eden bu Yunan askerine gösterdikleri ihtimam oldukça duygulandırmıştı Hristo'yu.

Bir yıl önce ayrıldığı Akhisar'dan bir daha haber alamamıştı. Ama o kırmızı mendili hiç yanından, yüreğinin üstünden ayırmamıştı.

"- Hristo?" dedi, Salih titrek bir sesle

"-Benim, evet Salih, Hristo, Yazıcı Mahallesinden Aleksandros'un oğlu"

Kaderin bu garip cilvesi ikisini de karışık duygulara sevketmişti. İçlerinden koşup birbirlerine sarılıp, hasret gidermek isteyen iki dost, ama imkânsızdı bu. Şaşkındılar, ama birbirlerini görmekten de oldukça mutlu olmuşlardı. Yüreklerindeki insanlık, dostluk, komşuluk duygusu her şeyin ötesine geçmişti.

"- Annenle, ablanı geçen yıl Akhisar'da gördüm. Merak etme ikisi de sağ salim ve çok iyiler, senin dönmen için sürekli dua ediyorlar" Hristo gözlerindeki yaşı silerek kelimeler dökülüyordu ağzından.

"- Allahım, şükürler olsun." dedi Salih, büyük bir huzurla. Neredeyse sımsıkı sarılacaktı bu Yunan askerine. Sevgiyle omuzuna dokundu.

"- Ben gideyim, Hristo gardaş, İnşallah barışta yine eski günlerdeki gibi birlikte oluruz" diyerek çadırın dışına yöneldi.

Çadırdan çıkarken, masada duran işlemeli kırbaç ve madalyonu alarak atına atlayıp uzaklaştı. Neden Hristo'nun bunları kendisine verdiğini, bunların Ordu Komutanı Papoulas'a ait olduğunu öğrendiğinde Salih, o gün ikinci şoku yaşamıştı.

Hristo ise o gün çadıra Salih yerine başka bir Türk süvarisi girmiş olsaydı, şimdi ölmüş olacağını düşünmüştü. Ama asıl onu mutlu eden, babasının yıllarca uyandırmaya çalıştığı insanlık duygularına kavuşmuştu. İkisi de yazgının cilvelerini yaşıyorlardı.

28 Ağustos 1921'de gece gündüz hiç durmadan, duraksamadan bütün cephe boyunca yapılan Yunan taarruzları, beklenen sonuçtan çok uzak bir mesafe katetmişti. Bu da ordunun tüm planlarını alt üst etmeye başlamıştı.

Kolordu ve Tümen komutanları Ankara üzerine giderken yapmış oldukları lojistik ikmal hesapları, Türklerin, ölümüne ve yok olma pahasına göstermiş olduğu savunma harekâtı, beklenen sürelerin ötesinde bir taarruzun olmasına sebep olmuştu. Tabiiki, bu da yapılan tüm hesapları alt üst etmişti.

Yıpranan askeri malzeme, araç gereç ve eksilen süvari atları için arpa, araçlar için yakıt, yemek pişirmek için kullanılacak odun her geçen gün sorun olmaya başlamıştı. Cephe gerisindeki ikmal konvoylarının Türk süvarileri tarafınfdan sık sık vurularak tahrip edilmesi de bu kıtlığı ve yokluğu iyice artırmıştı.

Diğer bir sorun da, tahminlerin çok ötesinde yaralı askerin cephe gerisine gönderilmesiydi. Savaşın başlangıcında İnlerketrancı bölgesinde büyük bir gezici hastahane, cepheden gelecek yaralıları karşılayabilecek konforda kurulmuştu. Ancak savaşın 3 ve 4. günlerinde yoğunlaşan yaralı sevkiyatı, gezici hastahanede değil konfor, yatacak yer kalmamıştı. Yaralıların çoğu dışarıda hasta teskerelerinde toz ve toprağın içinde muayene edilerek tedavi edilmeye çalışılıyordu. Mevcut araçların yarısı arızalı çalışanların çoğu cepheye ikmal için kullanıldığından, yaralıların daha gerilere sevki güçleşmişti.

Yaralı Yunan askerleri arasında hoşnutsuzluk, subaylara karşı küfür ve hakaretler başlamıştı. Verilen sözlerin hiçbirinin tutulmaması, zayıf denilen Türklerin inanılmaz bir direnç göstererek Ankara'ya geçit vermemeleri, amaçlarına ulaşamadan sakat kalan bu askerleri hırçınlaştırmıştı. Anadolu macerasının, politikacıların bir oyunu olduğu ve bir hayalin peşinde bu bozkırda yok olacaklarını düşünen askerlerin sayısı her geçen gün artıyordu.

Asıl kayıpları, Yunan işgal kuvvetinin İzmir'e çıkarken coşkuyla alkışlayarak bağrına basan, önce acımadan yıllarca birlikte yaşadığı Türk komşularını öldürüp, tecavüz ettikten sonra, Yunan askerlerine katılarak girdikleri Batı Anadolu'daki köylerde katliam, yağma ve tecavüz olaylarında bulunan, eğer bu savaş kaybedilirse Anadolu'yu terketmek zorunda kalacak yerli Rumların olacaktı.

Onlar için, yaptıklarının izlerini silmek imkânsızdı.

Yunan askerleri arsında bu günlerde kulaktan kulağa anlatılan bir başka söylenti de Yassıhöyük'te bulunan Gordion'un lahdi idi. M.Ö. 300'lü yılların başlarında Anadolu'yu istila eden başka bir Yunan Kralı olan Aleksander'ın[59], Pers Kralı Darius'u yenerek Gordion'u ele geçirdiğinde bir falcı kadın, " ünlü Gordion düğümünü çözerse, tüm Asya'yı ele geçireceğini, aksi taktirde Anadolu'da bile tutunamayacağını" söylemesi üzerine, Kral Aleksandr'ın, çözemediği düğüme kızarak kılıcıyla ikiye bölmesi, Hindistan'a kadar gitmesine rağmen Anadoulu'da tutunamayışının laneti olarak yorumlamışlardı.

Beş gündür, Yunan askerlerinin üzerinde psikolojik bir moral etkisi yaratan bu düğümün olduğu söylenen Gordion (Yassıhöyük)'un ele geçirlmesi ve Türklerin savunma düğümlerinin çözülmesi büyük önem taşıyordu.

Bugün 7. Yunan Tümeni Beştepeler ve Validede tepe istikametinde taarruzlarını yoğunlaştırarak, Türklere büyük kayıplar verdirmiş ve 6 kilometre kadar ilerlemişti.

Bu günün sonunda her iki taraf da aralıksız savaşmış ve kayıpları çok yüksek olmuştu.

29 Ağustos 1921 günün ilk saatlerinde Ordu Komutanı General Papoulas'ın tüm cephe boyunca taarruz emri birliklerin hepsine ulaşmıştı. Bu emirde taarruzdan önce yapılacak topçu ateşi yasak-

---

59 Büyük İskender

lanıyordu. Yoğun olarak kullanılan ve taarruz eden piyade askerine büyük kolaylık sağlayan topçu ateşinin yasaklanması, bu silahın mühimmatında çekilen sıkıntıdan kaynaklanıyordu.

Papoulas Ankara yolundaki son kozlarını ve gücünü kullanıyordu.

Ancak bu gün yapılan taarruzlarda istenilen başarı elde edilememiş, birkaç kilometre ilerlemelerine rağmen Türk genel cephesini yaramamışlardı. Türk genel cephesinde, özellikle Çaldağı istikametinde, Baraközü deresi,-Sivri-Karayavşan-Alacık-Hayman yönlerinde 7. Tümenin kesintisiz taarruzları, Türk cehesini bu bölgede oldukça zayıflatmıştı.

30 Ağustos1921 günü Yunan Ordu karargâhı günlerdir savaşın hedefine ulaşılamamasından dolayı aşırı bir gerginlik ve stres içindeydi. Komutan Papoulas, önüne gelene kızıp bağırıyor, kurmaylarını ağza alınamaycak hakaretlerle herkesin önünde rencide ediyordu.

Bir ara Kurmay Başkanına "- Askere fazla yüklendik sanırım, bu gün birlikleri yeniden tertipleyerek, bulundukları bölgeleri temizleme ve yarın yapılacak büyük taarruz için hazırlıkla geçirsinler." diyordu. Oysa, bu dinlenme fırsatını aynı zamnada Türk birliklerine tanıdığı için, son darbeyi vurma fırsatını elinden kaçırmıştı.

Ayrıca gelen raporlarda canını iyice sıkmıştı. En fazla ihtiyaç duyduğu zamanda muhakeme yeteneğini kaybetmişti. Türklerin Çaldağı istikametinden bir karşı taarruz yapacağını düşünerek, sabah Kurmay başkanına verdiği emri bir daha değiştirerek, Çal dağı istikametinden gelecek taaruzları tıkamak maksadıyla 2. Kolordunun, 3. Kolorduyu desteklemek üzere kaydırmasını emretti.

Öğleden sonra, 2. Kolorduda irtibat subayı olarak bulunan Albay Vernardas bir keşif uçağının gözetleme raporunu görünce, heyecanla bu raporu General Papoulas'a götürdü. Komutan bu raporu görünce, sabah verdiği tüm emirleri iptal ederek Çaldağı istikametinde taarruz edilmesini emretti. Çünkü raporda Çaldağında çok az Türk birliği gözlenmişti. Ancak sabahın erken saatlerinden itibaren kaybedilen zaman o kadar değerliydi ki, kaydırılan birliklerin tekrar eski mevzilerini alması akşamı bulacaktı. Ankara'ya girmek için bir fırsat daha tepilmişti. Ama Komutan Papoluas bunun farkında değildi.

31 Ağustos 1921'den başlayarak, Yunan taarruzları, güneyde Çaldağı ve Haymana ve kuzeyde Polatlı istikametinde bütün şiddetiyle hızlanmış ve bu yönlerde gelişme göstermeye başlamıştı.

Türk kuvvetleri, adım adım geri çekiliyor, her çekilmeden sonra tekrar mevzi alarak taarruzları kırmak ve durdurmak maksadıyla savunma düzenine geçiyorlardı.

Temmuz ayı başlarında yapılan taarruzlarda Kütahya, Eskişehir ve Afyon'daki Türk kuvvetlerinin bozularak hızla geri çekilmeleri, bir haftadan beri hızlanan taarruzlarda bir türlü görülmüyordu. Her gün başlatılan ve gece yarılarına kadar şiddetlenerek devam eden taarruzlarda, Türkler ya aynı ölçüde direniyor ve mevzilerini koruyor, ya da belli mesafe geri çekilerek tekrar savunma düzeni alıyorlardı. Bu, taarruz eden Yunan kuvvetlerinin, büyük kayıplar vermesine ve aşırı cephane tüketimine ve yorgunluğuna sebep oluyordu. Asker arasında moral bozukluğu ve rahatsızlıklar baş göstermeye başlamıştı.

3 Eylül 1921 günü itibariyle, Yunan kuvvetleri 7. Tümeni Polatlı'ya 3 kilometre, 12. Tümen Haymana'ya 2 kilometrereye kadar yanaşmıştı. Yunan kuvvetleri, Çaldağını ele geçirdikten sonra, Ankara'ya kuş uçumu 70 kilometre kadar sokulmuşlardı. Aslında 70 kilometre çok uzun bir mesafe değildi. Yürüyüş hızıyla en fazla 14

saatlik bir yoldu, bu da Yunan komutanların iştahını kabartıyordu. Temmuzdaki Kütahya- Eskişehir bozgunu gibi Türklerin bozularak geriye çekilmeleri an meselesiydi.

Aslında, Sakarya, Türkler ve Yunanlılar arasında bir savaş rövanşı gibiydi. Tam 24 yıl önce, önce Girit isyanıyla başlayan sonra da Yunanistan'ın Girit ve Selanik işgaliyle devam eden olaylar sonucunda çıkan Türk-Yunan savaşında Ethem Paşa komutasındaki Osmanlı ordusu Atina'nın 150 kilometre kadar yakınına gelerek Dömeke Kasabasına girmiş, ordusunun başında olması gereken Velihat Prens Constanine, askerlerini başsız bırakarak, canını kurtarmak için kaçmıştı. Atina'da hükümet devrilmiş, yerine kurulan yeni hükümet derhal İngiliz ve Rusya'dan yardım isteyerek, Osmanlının Atina'ya girmesini engellemişlerdi.

O zamanın Prensi bugünün Kralı Constantine, ordusunun başında Ankara'ya ilerliyordu. Yirmi dört yıl öncesi bozgunun hatıralarını Yunan halkının kafasından silerek kahraman olma hayalini yaşıyordu.

Zaman geçtikçe, Ankara'yı işgal edememenin ağırlığına artık akla uygun mazeretler bulunması gerekiyordu. Önce Genelkurmay Başkan Yardımcısı Stratigos, Yunan tarruzlarının bir türlü başarıya ulaşamamasının Türklerin gizli dostlarının yardımına bağlıyordu. Bu dostlar, yol yokluğu, Yunan Ordusunun yokluğu, yağmur mevsiminin yaklaşması gibi tabiat ve şartların getirdiği durumlardı. Oysa bu durumlar her iki taraf için de geçerli değil miydi...

6 Eylül 1921 günü Küçük Asya Ordusu Komutanı General Papoulas Karargâhını, İnlerkatrancı'dan, Kavuncu köyü civarına taşımıştı. On iki gündür yapılan taarruzlardan iyice yıpranan Yunan kuvvetlerini hiç değilse bulundukları hatları korumak için bu günden itibaren ilerledikleri hatlarda savunma düzeni almalarını emretti.

Yunan ordusu artık tükeniyordu. Askerlerine, atlarına yemek veremez, araçlarına petrol koyamaz hale gelmişti. Erler, hayvanlara ayrılan buğday, arpa gibi tahılları ceplerine dolduruyor, fırsat buldukça ateş üzerinde kavurarak yemeye çalışıyorlardı. Fırsatçı Rum ve Yunan askerleri çevredeki yoksul Türk köylerini talan ediyor, mallarına el koyup, köylüleri öldürüyorlar, evlerini yakıyorlardı. Yemek pişirecek odun bulamadıklarından, 3 gündür sıcak yemek yenmiyordu nerdeyse.

9 Eylül 1921 gününden itibaren, General Papoulas, ordunun parça parça geri çekilerek, Eskişehir Afyon hatlarında savunma tertibi almasına karar verdi. Bu çekilme harekâtı, Türk kuvvetlerine hissettirilmemek için temasta birer alay kadar kuvvet bırakılıyordu. Çekilme esnasında, Türk kuvvetlerinin taarruz ederek, çekilmenin bir bozguna dönüşmesinden çekiniyorlardı. Ama kaçınılmaz son tecelli edecekti. 17 Eylül'den itibaren Ankara'ya girmek için yola çıkan Yunan Ordusu, Sakarya Irmağının kıyısında bulunan Ankara'nın iki küçük kasabası Polatlı ve Haymana'ya bile giremeden U dönüş yaparak geldikleri yerlere başları önde dönmeye başlamışlardı.

Hristo, Ordu Karargâhı ile girdiği Sakarya savaşında, savaşın başlangıcında yaşanılan birkaç güzel günün dışında bu sonu hemen hemen tahmin etmişti. Ordu karargâhı ile birlikte Eskişehir'e giderken bu başarısızlığın burada bitmeyeceğini ve bu geri dönüşün bir sonun başlangıcı olduğunu çok iyi biliyordu.

Ankara hayal olmuştu. Ama en acısı İzmir'de kalmak da bir hayaldi artık. Bu hayali başlatanlar, binlerce Yunan ve Rum gencinin 22 gündür bu bozkırda ölümüne sebep olmuşlardı.

Yunan Kralının, Başbakanın, Komutanlarının siyasi istikbalini gerçekleştirmek için bu kadar askerin ölmesi doğru muydu? Doymak bilmeyen hırsları belki de 1829'da kurulan Yunanistan'ın sonunu bile getirebilirdi. Şimdi başları önde giden bu subaylar ve komutanlar, başarının bu kadar kolay olmayacağını neden hesaplayamadılar?

Aklı almıyordu bir türlü.

Karargâha gelen rakamlardan 23 binden fazla Yunan gencinin bu topraklarda, ölü, yaralı esir ve kayıp olarak bırakıldığını biliyordu. Özellikle savaşın en yoğun olduğu dönemlerde, çocuk yaşta Rum ve Yunanlıların zorla askere alınarak cepheye sürüldüklerini görmüştü. Daha yaşamın ne olduğunu bile görmeden bir kurşunla toprağa taze bir dal gibi düşerlerken yüzlerindeki o çocukça masumiyet gözlerinin önünden gitmiyordu.

Kim verecekti bu çocukların geleceğini? Kim soracaktı bu katliamın hesabını?

Seyyar hastanede kucağında ölen 14 yaşında bir askerin ölümü aklından hiç çıkmıyordu. Turgutlu'nun bir köyünden apar topar askere alınmış, boyu kadar bir silah verilerek cepheye sürülmüştü. Açlıktan ve yorgunluktan bitmişti. Ceplerinde sadece yediği arpa vardı. Yavaşça uykuya daldı, sanki o küçük ve yorgun bedeni artık dinlenmek istiyordu. Komutanları ona 12 gece boyunca taarruz etmesini söylemiş ve hiç durmadan savaşmıştı. Onu öldüren acaba mermiyi sıkan Türk müydü, yoksa onu bu savaşa sürükleyen Yunanlı zihniyetler miydi?

Hristo'nun kafasında savaş bitmişti artık. Birileri şanlarına şan, ünlerine ün katmak ve politikalarını güçlendirmek için girdikleri bu macera onu ilgilendirmiyordu artık. Bir an evvel ailesine kavuşmak istiyordu.

IX. BÖLÜM

"İzmir'e doğru..."

Hava kararmaya başladığından beri yürüyorlardı. Şafakla birlikte başlayacak genel taarruzun Yunan kuvvetleri tarafından anlaşılmaması ve tam bir baskın etkisi yaratması için, bir haftadır sadece gece yürüyerek cepheye ulaşmaya çalışıyorlardı. Şafağın sökmesine henüz birkaç saat daha vardı.

Salih, Süvari Kolordusunda, 2. Süvari Tümeni 4. Alay Yüzbaşı Şeraffettin'in bölüğünde takım çavuşuydu. Şafakla birlikte, üç yıldır yapılan sürekli savunmayı bırakıp büyük bir taarruzla Akdeniz'in mavi sularına kavuşmanın hayaliyle gözüne uyku girmiyordu.

Uzun bir yürüyüş olmuştu Tümen için. 25 Ağustos gecesi başlayan Ahır Dağlarının sert ve yalçın kayalıklarından Sandıklı'ya kadar uzanan, zifiri karanlıkta dar patikalarda zorlu bir gece yürüyüşü yapmışlardı. Gecenin sessizliğini bozmamak için atlarının ayağına içi saman dolu bez torbalar bağlamışlar, top arabalarının tekerleklerine kalın bez kumaşlarla iyice sarmışlardı. Yörede bulunan köylüler de yollarını bulmalarında klavuzluk etmişlerdi.

Taarruzun başlamasına birkaç saat vardı. Tümen Komutanı Yarbay Zeki Bey, tüm tümene istirahat vermiş, son hazırlıkları yapmak için karargâhıyla toplantı halindeydi.

Salih, can yoldaşı arkadaşları Sabri, Eyüp ve Celal ile üç yıl önce çıktıkları bu yolun artık sonuna geldiklerini biliyordu. Hiç yorgun değildi, yayından fırlayacak bir ok gibi gergin ve heyecanlıydı. Bir yıldan beri birlikte olduğu, siyah İngiliz tayının terini yavaşça sildi, eğerini gevşeterek çıkardı. Eğerin atın sırtında açtığı küçük yara ve berelerin üzerine Sabri'lerin çiftliğindeki seyis Mesut'un öğrettiği bir merhemi yavaşça, okşarcasına sürdü. Yem torbasını atın başına taktıktan sonra, diğer arkadaşları gibi başını eğere koyarak karanlık gecede yağmur gibi üstlerine yağan yıldızları seyre daldı.

Zaman sanki durmuştu.

Belki de yaşadığı son geceydi. Belki de, yarın şimdi baktığı bu yıldızlardan biri olacaktı. "Mutlaka cennete giderim" diye düşündü, gülümsedi. "Son bir kez anamı, bacımı görebilseydim" diye aklından geçirdi, gözleri doldu. İçinden dua etmeye başladı. Aslında dua etme alışkanlığı hiç olmamıştı. En zor anlarında bile aklına dua gelmemişti. Üç yıldır, ne pusulara düştü, ne savaşlar verdi. Yanında dal gibi arkadaşları birer ikişer düştüler, aldırmadı. Sanki bir oyundu, birazdan bitecek ve toprağa verdiği arkadaşları gülerek karşısına çıkacak gibi.

"Ey dağı taşı, kurdu guşu, çiçeği böceği tüm mahlûkatı, tüm kâinatı yaratan Rabbim, sana inandım, sana güvendim, senin merhametine sığındım. Yanına aldığın onca gardaşımdan rahmetini ve nurunu esirgeme. Her biri senin yolunda, vatan uğrunda gözlerini kırpmadan kendilerini feda ettiler, cennetinin en güzel yerinde mekanlarını pur-u nur eyle. Ordumuzu muzaffer kıl, güç, kuvvet ver, askerlerimizi, silah arkadaşlarımı, beni vatan, uğrunda, millet uğrunda, senin uğrunda şehit olma lütfuna eriştir Ya Rabbim. Âmin", dedi. Artık gözyaşlarını tutamıyordu.

Gökçen Efe'ye katılmasından beri üç yıl geçmişti. Çok çabuk savaşmayı, ata binmeyi ve silah kullanmayı kavramıştı. Elinden her bir şey gelirdi. Kim hasta olsa, yaralansa hemen Salih Çavuş koşar bir çaresine bakardı. İşten güçten erinmez, yorulmazdı. Bütün kızanlar, efeler, komutanların gözdesi olmuştu kısa zamanda.

Hemen hemen her cephede Yunan askerleri ve Rum komitacılarıyla çatışmıştı. Ama öyle büyük öyle temiz bir yüreği vardı ki, aman dileyene, silahsıza asla dokunmaz, biraz önce boğaz boğaza girdiği hasmının savaştan sonra yaralarına merhem çalar, iyileşmesi için elinden geleni yapardı. Bu davranışına şaşıran arkadaşlarına, yola çıkmadan dedesi Hüsrev Efendi'nin sözlerini söylerdi, "Er kişi, er meydanında belli olur, aman dileyene, yaralıya, kadına, çocuğa, zavallıya, garip, gurabaya el galdırmak erkeklik, efelik değil, gancıklıktır, kahbeliktir" derdi.

Dedesi Hüsrev Efendi'yi hatırladı. Geçen yıl, Hristo öldüğünü söyleyene kadar yaşadığını umuyordu. Hayata gözlerini açtığından beri babasının yerine onu tanımış ve sevmişti. "Mekânı cennet olsun benim canım dedeciğim" dedi. Gözyaşları henüz kurumamıştı.

Üç yıldır ilk kez korkuyordu. Ölümden değil, başaramamaktan ya da başarıyı görememektendi, korkusu. Her taş dibi, her ağaç kovuğu yuvası, yatağı olmuştu. Her çıtırdamadan, bağrışta çığrışta silahına sarılmış saatlerce sessizce beklemişti.

Yol arkadaşlarını düşündü. Sabri dayanamamıştı bu zorlu yolculuğa, bir yolunu bulup babasının yanına dönmüştü. Sabri'nin babası işgalin ilk aylarında oldukça mal mülk satmış almış, yükünü tutmuştu. Ama zamanla Yunan askeri makamlarının aldıkları malların paralarını ödemez hale gelmeleri, borçlarını iyice artırmış, zor duruma düşmüştü. Karantina'da bulunan büyük gösterişli evlerine de işgal komutanlığı kral ailesinden bir prensi yerleştirmek için el koyunca dayanamamış yataklara düşmüştü. Gaziemir tarafındaki çiftliğe yerleşmiş yatalak bir halde olduğu haberi geliyordu. Sabri bu haberlere hep üzülüp dururmuş. Ata binmesi ve silah kullanması da hiç iyi olamayınca "Arkedeşler, benim size bir faydam olmayecek galiba, İzmir'e gideyim babama anama bakayim" diyerek, babasının yanında çalışan bir Rum tüccarla birlikte gizlice İzmir'e dönmüştü, birkaç yıl önce. O günden sonra da ondan kimse haber alamamıştı.

Celal, tam bir kalem efendisi idi. Ne yapsalar silah kullanamıyordu, ama efeler içinde öyle konuşuyordu ki herkes ağzı açık dinliyordu onu. "Ya bu Celal Efe ne diyo anlemiyoz emme ne diyorsa güzel diyor" diye gülüşürdü efeler, kızanlar. Zaman zaman cümlelerine karıştırdığı ağdalı İstanbul Türkçesi, dinleyenler için içinden çıkılmaz bir bilmece halini alırdı. Bu edebiyat zekâsını keşfeden eski subaylardan Eşref Bey[60], Celal'i Rauf Bey[61]'le tanıştırdı ve onun yanına emir eri olarak görevlendirdi. Şimdi Ankara'da bir bakanlıkta çalıştığı söyleniyordu, ama o günden sonra bir haber alamamıştı, Salih.

Eyüp, efe doğmuş, herhalde efe olarak da ölecekti. Gerçi birkaç kez ölümün çok yakınına girdi, ama son anda sıyrılıp kurtulmayı bildi. Uzun, güçlü kuvvetli iri bedeni gerektiğinde bir panter gibi çevik bir fil gibi kuvvetli idi. Cephede yaralanan arkadaşlarını omzuna alıp hem koşup hem de ateş ettiği söylenirdi. Hiç kimse onun hızına yetişemezdi. Hiçbir mermiyi, fişeği boşa harcamaz attığını mutlaka vurur düşürürdü. Sakarya savaşında, geçen sene komutanlar onu, Yunan kıtalarının içine kadar gönderir, tutsak Yunan askeri alır getirir, sorgularlardı. Bazen bir değil, iki Yunan askerini sırtlayıp

---

60 Teşkilat-ı Mahsusa eski başkanı Eşref Sencer Kuşçubaşı
61 Rauf Orbay

getirdiği anlatılırdı. Zaman zaman bir araya gelip sohbet ettiklerinde aşağı mahalledeki Rum kızı hakkında konuşurlardı. O dev gibi aslan efe, Rum kızının bahsi açıldığında yüzü kızarır, çocuklaşır ve utanırdı. "Kısmet" derdi sessizce. Şimdi o da, Albay Fahrettin Bey'in Kolordusunda kendisi gibi süvariydi.

Salih, iki yıl önce Ethem Bey'in Seyyare Kuvvetlerine katılmış, kısa zamanda orada da kendini sevdirmişti. Bir baskından döndüğünde yaralanan atının yerine Ethem Bey şimdi bindiği siyah İngiliz tayını bütün eratın önünde ödül gibi vermesini hâlâ gururla hatırlıyordu. Kuvayı Seyyarede namı Çakır Salih Efe diye anılırdı.

Anadolu tayları kısa bacaklı, genelde yük taşımak maksadıyla kullanılan, hızlı koşamayan atlardı. Ama bu ingiliz tayı, heybetli görünüşü, uzun ince bacakları ve fırtına gibi koşması aklını başından almıştı.

Üç yıl boyunca aklından çıkaramadığı iki olay vardı, hatırladıkça içi bir hoş olur ve çocuklar gibi mutlu olurdu.

Bunlar, Çerkez Ethem Bey'le Yozgat'a giderken Ankara'da Başkomutan Gazi Mustafa Kemal Paşa ve geçen yıl Sakarya savaşında, Uzunbeyli Köyünde Yazıcı Mahallesinden, bacısı Saliha'nın da beğendiği Rum çocuğu Hristo ile karşılaşmaları idi.

Çerkez Ethem kuvvetlerinin Ankara'ya Hükümet tarafından çağrılmasının sebebi; 14 Mayıs 1920'de Yıldızeli'ne bağlı Kaman köyünde Postacı Nazım İsyanı olarak bilinen bir ayaklanma başlatmıştı. Kendisine padişahın temsilcisi ünvanını veren bu zat, birkaç tane çeteyle de işbirliği yaparak Haziran 1920'de Zile'yi işgal etmişti. Ankara hükümeti bu ayaklanmayı bastırmak için Kılıç Ali Bey ve 80 kişilik bir kuvveti Antep'ten Yozgat'göndermişti. Kılıç Ali Bey'in burada yörenin ileri gelenleri ile yaptığı görüşmede Çapanoğulları'nın da bir ayaklanma hazırlığı içinde olduklarını öğrenmişti. Çapanoğulları, 13 Haziran 1920'de Köhne'yi[62] basarak Yozgat'a girerler ve burayı padişah adına yönetmeye başlarlar. Yunanlıların genel bir taarruza kalkacağı bir dönemde bu isyanın çıkması Ankara Hükümetini zor durumda bırakmıştı. İsyanı bastırmak için Çerkez Ethem Bey kuvvetlerinin Yozgat'a gönderilmesine karar verilir.[63]

Salih ilk kez Ankara'ya geliyordu. Çerkez Ethem ve kardeşleri Reşit ve Tevfik Beyler'le birlikte Anadolu'nun bu şirin kasabasına girdiğinde oldukça heyecanlanmıştı. Ulus yakınlarında Ziraat Mektebinin bahçesine atlarıyla birlikte yerleşmişlerdi. Ethem Bey ve kardeşleri Mustafa kemal Paşa tarafından misafir ediliyordu. Sıcak bir yaz gecesiydi, atını yemlemiş ve sulamış, tımarını yapmıştı. Ertesi gün Yozgat şehrine doğru yola çıkacaklarından tüm eksiklerini tamamlamıştı. Takımdaki arkadaşlarının hemen hepsi birkaç nöbetçi hariç uyumuştu. Bir sigara yaktı. Uzaktan gelen taş plaktaki ağır bir istanbul şarkısının hoş namelerini belli belirsiz işitiyordu.

Biraz ilerleyince karanlıkta bir sigaranın daha yanıp söndüğünü farketti. Kendisi gibi uykusu kaçan bir efe olduğunu düşünerek ona doğru yürüdü. Yaklaştığında gözlerine inanamadı, donup kaldı. Elinden sigara yavaşça yere düştü. Karşısında, gençliğinin kahramanı, Çanakkale'nin unutulmaz komutanı ve şimdi tüm Anadolu'nun kaderi, yazgısı elinde olan Selanikli Mustafa Kemal Paşa, dalgın dalgın sigarasını içiyordu. Salih'in yanına geldiğini görünce yavaşça başını kaldırdı "Senin de uykun mu kaçtı çocuk?" dedi gülümseyerek. Salih, eski subay olan Kuvvacılardan öğrendiği basit birkaç askeri terbiyeyle ellerini sımsıkı bedenine düzgünce yapıştırdı, başını dik olarak kaldırdırdı ve asker, efe, kızan arasında efsane olmuş

---

62 Sorgun
63 UĞURLU, Nurer, "Çerkez Ethem Kuvvetleri, Kuvayı Seyyare", Örgün Yayınevi, İstanbul, 2007, s.335-336

bu ender insanın karşısında taş kesildi sanki. Paşa, yavaşça yanına geldi, heyecanını anlamıştı efenin. Elini Salih'in omuzuna koydu,

"- Merak etme çocuk, bu savaş kısa zamanda bitecek ve sen de evine, ailene ve sevdiklerine kavuşacaksın, bu vatan siz gençlerin omuzlarında hak ettiği yere yükselecek, bundan kesinlikle şüphem yoktur." dedi.

Mustafa Kemal Paşa'yı gördükten sonra hayatındaki tüm umutsuzluklar yerini geleceğin güzel günlerinin hayallerine bırakmıştı. Ertesi günü gittikleri Yozgat'tan zaferle dönmüşlerdi.

Emir verildiği için hiç kimse sigara içemiyordu. Oysa canı öyle çekmişti ki mereti. Şimdi şu yıldızlara bakarken ne güzel tüttürülürdü diye içinden geçirdi. Hiçbir şeyden korkusu yoktu artık.

Ama zamanla Ethem Bey'in kardeşleri özellikle eski bir subay olan abisi Reşit Bey, Mustafa Kemal ve Batı Cephesi Komutanı İsmet Paşa'ya karşı asi davranışlar göstermeye başlamıştı. Çerkez adetlerine göre, evde yaşça büyüklerin sözü dinlenir ve uyulurdu. Kuvayı Seyyare'nin Komutanı Ethem Bey olmasına rağmen, eski bir subay olan abisi Reşit Bey'in sözlerine çok önem verir, karşı gelmezdi. Çok geçmeden Reşit Bey'in bu kışkırtmaları sonucunu verdi. Artık yolların ayrılması gerekiyordu. Salih ve Eyüp, kurtuluşun Mustafa Kemal ve arkadaşlarının kararlarında olduğuna inananlardı. Kendileri gibi düşünenlerle birlikte Kütahya'da ayrılarak İsmet Bey'in kuvvetlerine katıldılar. Oradan da Fahrettin Bey'in kolordusuna geçtiler.

Sonradan Ethem Bey'in Yunan kuvvetlerine katıldığı haberi geldiğinde inanamamıştı. Ethem Bey'in böyle bir şey yapacağına hiç ihtimal veremiyordu hâlâ. Uzun dalyan gibi boyu, masmavi çakmak çakmak gözleri ile heybetli bir efeydi, Ethem Bey. Adam gibi adamdı. Son zamanlarda ince bir hastalığa kapıldığını ve sürekli zayıfladığını gözlemlemişti, ama hasta olmasına rağmen her baskına ve ayaklanmaya birlikte giderlerdi.

Uzak köylerden birinden sabah ezanı sesi belli belirsiz duyuluyordu. Yerinden doğruldu ve ayağa kalktı. Arkadaşlar da kalkmıştı, kimisi toparlanıyor, kimisi de namaza durmuştu. Yavaşça namaz kılan arkadaşlarının yanına giderek onlara katıldı. Hep birlikte ellerini havaya kaldırarak Yaradan'dan birazdan başlayacak olan büyük savaşta zafer ve yardım dileyen içten yakarışlarla namazı bitirdiler.

Etrafta hızlı hızlı koşuşturmalar başlamıştı. Birden üzerinden ıslık çalarak geçen ve karşı tepelerde gökleri yırtan topçu gürlemesi, ortalığı gündüze çeviren aydınlanmalar başladı. Görevleri gereği ihtiyatlı olacaklar, Çiğiltepenin ele geçirilmesini müteakip Ahır dağlarını geçecek, Sincanlı Ovasının batısında Banaz'da Yunan Kolordularının Afyon'a çekilme yollarını kapamak için etrafından dolaşacaklardı.

Kolorduda, İzmir'e ilk giren komutana, Başkomutan tarafından bir kılıç verileceği genelge ile yayımlanmıştı. Bu haber inanılmaz bir onurdu. Her bölük kendi komutanını bu şerefe uygun görüyor ve bir an evvel İzmir'e ulaşmak için içi içlerine sığmıyordu.

Anlatılanlara göre; "Özellikle Sakarya savaşından sonra Anadolu'da yeni hükümetle ilişki kurmak isteyen heyetlerin ziyareti sık sık oluyordu. Bu büyük zaferin coşkusunu, Anadolu'da bir onur, bir ölüm kalım savaşı veren Türk halkıyla paylaşmak ve Ankara Hükümeti'yle siyasal ilişkiler kurmak isteyen Buhara Cumhuriyeti de bir kurul oluşturarak, Türkiye'ye gönderilmişti. Kurul, Recep ve Naziri Beyler'den oluşuyordu. Bunlardan Recep Büyükelçi, Naziri Bey de maslahatgüzar olarak Ankara'ya gelmişti. Kurul, 1921 yılının soğuk bir Aralık günü, Anadolu topraklarına İnebolu rıhtımından ayak basmışlardı. Kurulu, İnebolu Kaymakamı İsmail Hakkı

Bey karşıladı. İsmail Hakkı Bey, o zamana kadar kağnı kollarında komutanlık yapan genç Enver Behnan'ı yanına çağırarak, bu kurulu Ankara'ya götürmesini ve yolda onlara refakat etmesini istemişti. Ardından da onu heyet üyeleriyle tanıştırdı. Genç Enver Behnan'ın dikkatini, başka bir şey çekmişti. Ayrı olarak sarılmış ve dört ayrı parçadan oluşan bu armağanlardan bir tanesi Kuran, diğerleri de Buhara kılıç ustalarının yaptığı, pala seklindeki üç ayrı kılıçtı. Enver Behnan, kılıçları görme olanağı bulmuştu. Heyet üyeleri, Kuran'ın Timur'a ait olduğunu söylüyorlardı Tüney'den hareket eden kurul, Ankara'ya ulaştı.

Tarih 7 Ocak 1922'yi gösteriyordu. Gazi, Buhara Halk Sovyetler Cumhuriyeti temsilcilerini, büyük bir konukseverlikle kabul etmişti. Karşılıklı iyi düşünce ve niyetler dile getirildikten sonra Türk ulusunun verdiği büyük savaşım, Recep Bey tarafından kutlandı ve kutsanmıştı. Savaşı, kendi savaşları gibi görüyorlardı. Mustafa Kemal Paşa, Türk ulusunun verdiği savaşımı kutsayan kurula, ulusun duyduğu minnet duygularını aktardı. Bu arada heyet, Mustafa Kemal Paşa'ya, üç kılıç ve bir de Kuran-ı Kerim armağan etti. O tarihlerde Enver Paşa Buhara Cumhuriyeti'ndeydi. Kılıçları bizzat o, Buhara Cumhuriyeti hazinesinden seçmişti. Bu armağanların simgesel değeri vardı: Kılıçlar zaferi, Kuran-ı Kerim de kutsal dayanişmayı simgeliyordu. Bu nedenle, kılıçlar Türk ordusuna, Kuran-ı Kerim de Türk ulusuna armağan edildi. Gazi Mustafa Kemal Paşa, kendisine emanet edilen Kuran-ı Kerim ve kılıçları kabul ettikten sonra, heyetin huzurunda şu konuşmayı yaptı: "Bu emanetleri elinizden alırken, kalbim heyecan ile dolu. Halkımız ve ordumuz, uzaklardaki kardeşlerimizden gelen cesaret verici tebrik nişanelerinden şüphesiz çok duygulanacak ve mutlu olacaklardır."

Buhara Hükümeti, Kuran-ı Kerim'in Türk milletine armağan edilmesini, üç kılıçtan birini Gazi Mustafa Kemal Paşa'nın, ikincisini

Garp Cephesi Komutanı İsmet Paşa'nin kabul etmesini rica etmişti. Üçüncü kılıcın ise, İzmir'e ilk giren kahramana verilmesini Mustafa Kemal Paşa'dan istemişti. Gazi bu isteği büyük bir memnuniyetle kabul etti. Kuran-ı Kerim, Büyük Millet Meclisi kütüphanesinde yapılan küçük bir törenle özel yerine konuldu. Üç kılıçtan birini Mustafa Kemal Paşa aldı, ikinci kılıç İsmet Paşa'ya verildi. Üçüncü kılıç ise, Başkumandan Mustafa Kemal Paşa tarafından İzmir'e girecek ilk fatihe vermek üzere özel bir yerde saklandı. "Üçüncü Kılıç", İzmir'in Kurtuluşu ile sanki özdeşleşmiş gibiydi"[64].

Topçu hiç durmadan gürleyerek ateş ediyor karşı tepeleri hallacın pamuğu attığı gibi yerle bir ediyordu.

Bölük Komutanı Yüzbaşı Şerafettin, bölüğün vakit geçirmeden Çayırhisar'da toplanmasını emretti. Süvariler derhal atlarına bindiler ve süratle Çayırhisar'a yola çıktılar. Bütün dikkatleriyle Albay Reşat Bey'den Çiğiltepe'nin alınma haberi bekleniyordu. Salih Çavuşun da içinde bulunduğu Yüzbaşı Şerafettin Bey'in bölüğü, bu tepenin Yunan kuvvetleri tarafından takviye almasını önleyerek geri alınmasını önleyeceklerdi.

Savaş başlamıştı. En son tam bir yıl önce Sakarya'da, Mangal Dağında, Polatlı'da, Haymana dolaylarında inanılmaz bir ölüm kalım savaşı veren iki milletin askerleri, ne garip tecellidir ki o savaşın yıldönümünde de anlaşmış gibi tekrar birbirlerinin güçlerini sınamaya çalışıyorlardı. Aradaki tek fark, taarruz edenle savunan rollerini değiştirmişti sadece.

Piyadeler hücum mevzilerine, tel örgülere doğru ilerlemeye başladılar. Bu cehennemlik ateş 20 dakika sürdü. Bataryalar bu kez 10 dakika sürecek imha ateşine geçtiler. Siperleri ve gözetleme yerlerini dövmeye başladılar.

---

64 ARI, Kemal, "Üçüncü Kılıç, İzmir'in Kurtuluşu ve Yüzbaşı Şerafattin", Zeus Kitapevi, İzmir, Eylül 2006, S.14-17

Bazı tel örgüler topçu ateşiyle yıkılmıştı. Bazılarını da istihkâmcılar ya da sabırsız askerler yıktılar. İmha ateşi sona erer ermez subaylar ve askerler, açılan gediklerden mevzilere, direnek merkezlerine daldılar.

Fırtına gibi esiyorlardı: "Allah Allah... Allah Allah..."

Topçular ateşi ilerilere kaydırdılar. Top, makineli tüfek, el bombası, boru sesleri ve savaş naraları içinde, 06.45'te 5. Tümen Kalecik Sivrisi'ni ele geçirdi. On dakika sonra 15. Tümen'in 38. Alayı'nın da Tınaz Tepe'yi aldığı haberi geldi."[65]

Bölük Komutanı Yüzbaşı Şerefattin, harekete başlamadan önce hepsine, süratli olmanın ve Yunan ordusunun çekilmeden yok edilmesinin anlamını çok iyi anlatmıştı. Ellerini çabuk tutmaları ve Yunan birliklerinin geriye çekilmelerini önlemeleri gerekiyordu. Öncelikle geriye giden telgraf hatlarını imha etmek hayati önem arzediyordu. Çünkü taarruzun başarısı, Yunan Küçük Asya Ordusunu ne derece hazırlıksız yakalanmasına bağlıydı. Ayrıca bozgun halinde geriye çekilecek Yunan askerleri geçtikleri köy kasaba ve şehirleri yağmalayıp ateşe verebilirlerdi.

Özellikle Salih gibi, ailesi Yunan işgal bölgelerinde kalan askerlerde büyük bir endişe vardı. Gidip de bulamama ihtimali içlerini sıkıyordu. Ama zaman, aileyi düşünme zamanı değil, bir an evvel bütün dikkati göreve verme zamanıydı.

Alınmaz, geçilmez, yarılmaz sanılan Afyon mevzilerinin en kritik yerleri tek tek ele geçiriliyordu. Şimdi bu başarıyı derinleştirip genişletmek gerekliydi. Hava Bölüğü Yunan İhtiyat Kolordusu'nun düzeninde bir değişiklik olmadığını rapor etti. Bu iyi haberdi. Sabah aynı saatte 2. Ordu'nun ve Kocaeli Grubu'nun yaklaşık 100 topu da ateşe başlamıştı.

---

65 ÖZAKMAN, Turgut, "Şu Çılgın Türkler", Bilgi Yayınevi, Ankara, 2005, s.612

Top ateşleri geri kaydırılınca, ilk hat birlikleri, karşılarındaki birlikleri yerlerinde tutmak için taarruza kalktılar. Gösteriş taarruzu olduğu için çatışma sert değildi. Ama Yarbay Salih komutasındaki 61. Tümen, ciddi bir atılımla cephesindeki güçlü Kazuçuran direnek merkezini ele geçiriverdi.[66]

Sakarya savaşının tüm sorumluluğu Hükümet ve General Papoulas üzerine yıkılmıştı. Uygulamış olduğu yanlış strateji ve taktiklerle, Yunan halkının ve Kralının Ankara ve Gordion'a ulaşma hayallerini yok ettiği gibi, başıbozuk denilen Kemal'in askerleri karşısında büyük bir yenilgi almıştı.

Bu affedilemezdi.

Bu nedenle Hükümetle birlikte Küçük Asya Ordusunun tüm üst düzey komuta heyeti değiştirilmiş, yeni strateji olarak Afyon, Eskişehir hattını tahkim ve savunma görevi verilmiş, elde edilen kazanımlar korunma yoluna gidilmekteydi. Küçük Asya Ordusunun yeni komutanı, parlayan yıldızı ile göz dolduran, kendinden emin, ukala bir general olan Hacıanesti olmuştu. Çünkü İzmir ve Ege kaybedilemezdi. Bunun için her türlü önlem alınmalıydı ve alındı da.

Türklerin yapacakları muhtemel bir taarruzun, Afyon'un doğusundan olma ihtimali üzerine savunma stratejisi geliştirilmişti. Afyon Güneyi sarp ve kayalık dağlarla çevrili olduğundan, buraların tahkimatı güçlendirilip az bir kuvvetle tutulması, asıl savunma kuvvetlerinin doğuya tertiplenmesi, bir kolordunun da muhtemel taarruzlara karşı asıl kuvvetlerin arkasında ihtiyatta bulundurulması kararlaştırılmıştı. Asıl savunma kuvvetlerinin kolordu komutanı General Trikupis Afyon'da bulunuyordu.

Şafakla başlayan yoğun topçu ateşi, asıl taarruz yerinin Afyon güneyi olduğunu belli etmişti. Trikupis yetişen 7. Tümen'i 1.

---

66 ÖZAKMAN, Turgut, A.g.e., s. 613

Tümen Komutanı General Frangos'un emrine verdi. Yedekte bekleyen Albay Plastiras'ın alayını da 4. Tümen'i takviyeye yolladı. Yetmeyecekti bu. Çünkü cephedekiler, dalga dalga ölüme yürüyen Türkler karşısında askerlerin zorlukla tutunduklarını bildiriyordu. Trikupis İhtiyat Kolordusu'nun 9. Tümeni de yollamasını istedi.

Hacianesti bunu gerekli görmedi: "Düşman, bizim kuruntulu Passaris gibi şaşkın. En güçlü olduğumuz yere saldırıyor. İhtiyat Kolordumuz taarruza geçince, bunları ikiye böler ve ezer. Trikupis'e bugün kaybedilen yerleri geri almasını, İhtiyat Kolordusu'na da Çay'a doğru hemen taarruza geçmesini yazalım." Albay Passaris komutanı yine kızdırmayı göze aldı: "İhtiyat Kolordusu'nun taarruz hazırlığı için zamana ihtiyacı var, ancak 48 saat sonra karşı taarruza geçebilir."

"Sen bir şey demek istiyorsun."

"Evet efendim, bence General Trikupis'in kolordusunun 48 saat dayanması çok zor. Dayanamazsa her şey mahvolur. Hiç beklemeden Dumlupınar mevzilerine geri çekilmesi daha doğru olur diye düşünüyorum..."

Hacianesti bütün damarları kabararak bağırdı:

"Ne diyorsun sen? O mevziler, bir yıldır, böyle bir gün için hazırlanmadı mı? Ben gördüm. Çok rahat dayanır. Aksini düşünen haindir."[67]

Hacıenesti, Şubat ayında Yunan ve yabancı basın mensuplarıyla Afyon'a gelmiş ve muhtemel bir Türk karşı taarruzuna karşı Afyon güneyinde hazırlanan mevzileri dolaşmıştı. Geziye katılan gazeteler yazılarında "Türkler bu mevzileri yedi yılda geçerlerse, yedi günde geçtik saysınlar" diye gururla yazmışlardı. Yunan Başkomutanı bu

---

67 ÖZAKMAN, Turgut, A.g.e., s. 615

şişirme mevzilere çok güveniyordu. Ama bu, savaştaki ne ilk ne de son yanılgısı olacaktı.

Türk kuvvetlerinin en hareketli ve vurucu gücü süvari kolordusu idi. Uzun mesafeleri at sırtında durmadan dinlenmeden geçen süvariler, Yunan gerilerine kadar gelip baskınlarla cephedeki taarruzun gelişmesine yardımcı oluyorlardı.

Üç süvari tümeni de Tokuşlar çevresinde toplanınca Fahrettin Paşa, her birine bir görev verdi. Kuzeye de kuvvetli keşif kolları yolladı. Keşif kollarının bir görevi de demiryolunu ve telgraf hatlarını tahrip etmekti. Cephe gerisinde cirit atan binlerce Türk süvarisini gören Yunanlılar panikliyorlardı. Süvariler savaş havasına girmişlerdi. Direnmeye yeltenen birlikleri, atlı hücuma kalkarak kılıçtan geçiriyorlardı. Demiryolu ve telgraf hatları, köylülerin de yardımıyla, birkaç yerden tahrip edildi. Birinci ve İkinci Yunan Kolordularının İzmir'le ulaşım ve haberleşmesi kesildi.[68]

Tınaz tepenin alınmasına rağmen, cephenin ortasında ve kritik bölgesinde bulunan Çiğiltepe istenilen satte alınanamaması harekatı tehlikeye sokuyordu. Bu gecikme Türk Komuta Karargâhını oldukça rahatsız ediyordu. Çünkü hedeflerini ele geçiren birliklerin ilerlemesi durumunda, Çiğiltepe'deki Yunan birliklerinin yan ateşinin etkisi altına gireceklerinden ilerleyemiyordu. Bu da Yunan birliklerine zaman kazandırmak anlamına geliyordu. Oysa zamanın her saniyesi harekatın başarısı için çok önemliydi.

Yunan savunma sisteminin adım adım çöküşünü seyrediyorlardı. Yalnız Çiğiltepe karşısındaki 57. Tümen bir türlü ilerleyememişti. Kuşatma kolu, ateş yememek için, hayli açıktan dolaşınca, etkisiz kalmıştı. M. Kemal Paşa bu tümenin komutanı Albay Reşat Bey'i severdi. Emrinde çok başarılı hizmetler görmüştü. Teşvik etmek için telefon etti:

---

68 ÖZAKMAN, Turgut, A.g.e., s. 617

"Reşat Bey hâlâ hedefinize ulaşamadınız. Bir sorun mu var?"

"Yarım saat sonra ulaşacağız efendim. Söz veriyorum."

"Peki, size güveniyorum."

Yarım saat dolalı hayli olmuştu. Çiğiltepe düşmemişti hâlâ. M. Kemal Paşa Reşat Bey'le konuşmak istedi. Telefona Emir Subayı Üsteğmen Bozkurt Kaplangı çıktı.

"Reşat Bey'i istemiştim."

Bozkurt zorlukla, "Reşat Bey az önce intihar etti efendim.." dedi, "..size bir açıklama bırakmış. Peki, okuyorum: 'Yarım saat içinde size o mevzii almak için söz verdiğim halde sözümü yapamamış olduğumdan dolayı yaşayamam'." Üsteğmen Başkomutan'ın teselli edici sözlerini ağlayarak dinledi.[69]

Tam bir yıl önce yüz binden fazla Yunan Küçük Asya Ordusu tüm gücü ile başlattıkları taarruz ilk günlerinde beklendiği gelişmeyi göstermiş, Sakarya nehri geçilmiş Türk savunma hatları geriye atılmıştı. Bu olay Yunan karargâhında, hatta Yunan halkı arasında büyük bir coşku yaratmış, Kral gazetecileri Ankara'da basın toplantısına bile davet etmişti.

Bir yıl sonra, 26 Ağustos 1922 sabahı başlayan Türk taarruzu da beklenenden hızlı gelişerek Yunan askerleri bulundukları mevzilerden geriye atılmıştı. Ancak bu iki savaş arasında özellikle Türk ve Yunan komutanlar arasındaki savunmanın ve taarruzun planlaması arasındaki fark, her iki savaşta da birinin zaferi diğerinin hezimeti olmuştu.

Bunlardan en önemlisi, Yunan Karargâhının Türk kuvvetlerini ve hazırlık derecesini küçümsemesi, bu kuvvetler hakkında, İngilizlerin yardımına rağmen yeterli istihbarat toplamaması, bu ne-

---

69 ÖZAKMAN, Turgut, A.g.e., s. 623

denle Sakarya'da asıl taarruz bölgesini Türklerin en kuvvetli yanına yapmaları, Afyon'da ise Türklerin asıl taarruzunun beklenmedik güneye yapabileceklerini öngörememesi olmuştu.

Bir diğeri ise, Sakarya'daki Türk mevzileri bir birbiri gerisinde tepe ve dağ silsilelerine dayandırarak, şiddetli Yunan taarruzlarını kısa mesafelerde geri çekilerek tekrar tekrar savunma düzeni içinde karşılamış ve bu taarruzların etkisini azalmıştı. Bu bir tesadüf veya şans değildi. Çok iyi bir stratejist ve taktisyen olan Mustafa Kemal, bu savunmaya hazırlanırken tarihteki benzer savaşları ve arazi yapısını çok iyi incelemiş ve kuvvetlerini bozmadan 20 gün boyunca kesintisiz Yunan tarruzlarına direnmiştir. Gücü tükenen Yunan ordusu geride, kuvvetlerinin büyük bir bölümünü bırakarak, savaş alanını terkedip Afyon'a doğru geri çekilmişlerdir. Bu da Yunan askerlerinin morali üzerinde oldukça olumsuz çöküşler yaratmıştı. İzmir'e çıktıkları gibi -ki bu haber tüm Yunanistan'da yankılanmıştı- ellerini kollarını sallayarak bir piknik havasında Anadolu'da istedikleri yerlere gidebilecekleri hayaline kapılmışlardı. Oysa Sakarya'da çarptıkları Türk duvarının birkaç gün içinde başlarına yıkılacağı korkusunu hissetmeye başlamışlardı.

İzzettin Bey kolordusuna bağlı tümenlerin ileri müfrezeleri, savaş dumanı içinde, siperlerden atlayarak, savaş kalıntılarını aşarak koşuyorlardı. Yunanlıları yakalamak istiyorlardı. Önlerinden çekilip yok olmuşlardı birden. 15. Tümen'den Teğmen Rıfkı ile takım çavuşu zıngadak durdular. Bir yamacın başına gelmişlerdi. Aşağıda ağustos güneşi altında parlayan geniş bir ova vardı. Dağınık düşman birlikleri kuzeye doğru kaçıyorlardı. Teğmen büyülenmiş gibi baktı:

"Çavuş, burası Sincanlı Ovası!"

"Öyleyse?"

"Evet!"

Çavuş geriye döndü, koşarak yaklaşan çıplak ayakları kan içindeki askerlere bütün ciğeriyle haykırdı:

"Cepheyi yardınıunkkk!"

"Heeeeeyü!"

O kadar övülen Afyon müstahkem mevkii ancak 32 saat dayanabilmişti. Ağır makinelileri kurup, kaçanları biçmeye başladılar. Makineli tüfeklerden kurtulabilenler daha kuzeyde de Türk süvarilerinin kılıçlarıyla karşılaşacaklardı.[70]

İzmir, Afyon'da yaşananlardan habersiz ılık bir Ağustos gecesini yaşıyordu. Kordon, Punta ve diğer sahiller, Rum, Yunan, İngiliz, Fransız tüm işgal kuvvetlerinin askerleri, gazeteciler, meyhaneleri ve sahil kafelerini hınca hınç doldurmuş eğlence içinde Anadolu'nun bu giriş kapısı güzel şehrin tadını çıkartıyorlardı.

Görüntü bu olmasına rağmen, arka mahallelerde yaşayan yerli Rumlar hayatlarından hiç memnun değillerdi. İşgalle birlikte boşaltılan Türk evlerinin bir kısmına, adalardan ve Yunanistan'dan taşınan Yunan aileler huzurlarını iyice kaçırmaya başlamıştı. Bir çoğu işsiz ve yoksuldu. Vaadedilen topraklardaki zenginliklere koşarak gelmişler, ilk işgal kuvveti Yunan ve Rum askerlerinin yağmaladıklarından arda kalanları onlar talan etmişlerdi. Ancak bunla da yetinmeyip yerli Rum ahalinin de mallarına mülklerine zaman zaman tecavüzlerde bulunmuşlar, rahatsız etmişlerdi. Gittikçe artan Yunan mevcudiyeti ve ordusu, İzmir ve Ege'nin besleyecek kapasitesinin çok üstüne çıkması, yerli Rum ahaliyi zamanla zor duruma sokmuştu.

Özellikle Sakarya mağlubiyeti ile açığa çıkan asker ihtiyacı için de sık sık yerli Rum ahaliye müraacat edilerek 14 yaş üzeri her Rum

---

70 ÖZAKMAN, Turgut, A.g.e., s. 624

genci askere alınıyordu. Bu da, çocuklarının, beklenen zafere ulaşamayan Yunan Ordusunun içine bilerek ölüme göndermekten başka bir şey değildi.

Birkaç aydır, yayılan bir söylentide, Türklerin büyük bir genel taarruza başlayacaklarını, tüm Rum ve Yunanlıları Anadolu'dan süpürecekleri fısıldanıyordu. Şehrin, sahilindeki şatafat arka mahallelerinde hüzünlü, endişeli bir bekleyişe bırakmıştı kendisini. Halkın bu duyarlılığını göremeyen Yunan Ordusu Başkomutanlığı, Hükümeti ve milliyetçileri küçümser bir tavırla, Türklerin Afyon hattını geçmelerine ihtimal vermiyorlardı.

Hacianestive Stergiadis, Sporting Club'un terasında akşam yemeği yiyorlardı. İzmir'de hava nefis, deniz ipek gibiydi. İki yan da bildiri yayımlamadığı için savaşın başladığını bilenler pek azdı.

Herkes neşeliydi.

Hacianesti, alçak sesle, "...Hiç merak etmeyin.." dedi, "..tek sorunum, Trikupis'le çabuk haberleşememek. Başka bir sorun yok. Yarın İkinci Kolordum taarruza kalkarak Türkleri taarruza yeltendikleri için pişman edecektir. O zaman bir bildiri yayımlar, kamuoyunu bilgilendiririm. Haydi şerefe!"

"Şerefe!"

Hacianesti'nin yaveri Yüzbaşı Kazanidis sessizce yaklaştı. Yüzü kıpkırmızıydı. Eğilip fısıldadı:

"Generalim!"

"Ne var?"

"Karargâha gelmeniz gerekiyor."

"Neden?"

Yüzbaşı sesini daha da düşürdü:

"Cephe yarılmış efendim."

Hacianesti donup kaldı. Sonra sarhoş gibi sallanarak ayağa kalktı:

"Özür dilerim. Gitmem gerekiyor."

Komuta kurulu toplantı halindeydi. Hepsinin yüzüne felaketin gölgesi vurmuştu. Başkomutan, "Ne yapacağız?" diye sordu. Passaris el kaldırdı.

"Söyle."

"İki kolorduyu da General Trikupis'in emrine verelim. Trikupis, hiç vakit kaybetmeden iki kolorduyu Dumlupınar müstahkem mevkiine çeksin."

Bernardos, "Böylece İzmir yolu da sağlamca örtülmüş olur" dedi.

"Bunun için Trikupis kuvvetlerinin Dumlupınar'a düşmandan önce ulaşması gerek."

General Valettas durumu toparladı:

"General Frangos da Dumlupınar'a çekiliyor. İkisi Dumlupınar'da birleşirse, Türkleri durdurabiliriz."

Hacianesti başını kaldırdı:

"Ama Trikupis'in bu ölüm yarışını kazanması şart. Yoksa..."

Ötesini söylemek istemedi. Bu yarışı kazanamamanın sonucunu düşünerek hepsi ürperdi. Çoğu haç çıkardı.

"Trikupis'e ve Frangos'a yollanacak emri hazırlayın."[71]

Artık cephe yarılmıştı.

Beklenen olmamış, yedi yıl dayanır denen mevziler otuz iki saatte yerle bir olmuştu. İkinci bir savunma planı olmayan Yunan cep-

71 ÖZAKMAN, Turgut, A.g.e., s. 629

he Tümenleri hızla Sincanlı Ovasından Altuntaş, Murat Dağı istikametinde geri çekilmeye başladılar. Birlikler arasında irtibat hemen hemen kaybolmuştu. Alay komutanları Tümen ve kolordu komutanlarına ulaşamıyor ne yapacaklarını bilmeden birliklerini Türklere kaptırmamak için geri çekiliyorlardı. Bazı birliklerde teslim olalım sesleri, homurdanmaları sık sık duyulmaya başlanmıştı.

Çekilme ne kadar çabuk yapılırsa yapılsın, baskının etkisi birliklerin üzerinden atılamıyordu bir türlü. İki gündür, tek bir lokma yemeden, bir saniye bile uyumadan Türk taarruzlarına direnmeye çalışılıyordu.

Trikupis-Digenis kuvvetleri kuşatılıyordu. 9. Tümen'den güçlü bir birlik, hava kararırken, ateş hattının gerisinden Çal-Dumlupınar yoluna çıkarak Dumlupınar'a doğru ilerledi. Birliğin başında 9. Tümen Komutanı Albay Gardikas vardı. Kurtulmak için Dumlupınar'a ulaşmak, orada beklediğine güvenilen Frangos kuvvetiyle birleşmek gerekti.

Dumlupınar yönünden savaş uğultusu yansıyor, aydınlatma fişekleri çakıyor, ama bir haber gelmiyordu. Gece yarısına doğru bir otomobilin Hamur'a yaklaştığı görüldü. Subaylar heyecanla koşuştular. Komutanların çevresini sardılar. Gelen Gardikas'ın yolladığı bir subaydı.

Bayılacak kadar yorgundu:

"Generalim! Dumlupınar'a 3 km. kadar yaklaşmıştık. Fakat bir düşman birliği önümüzü kesti. Çok çabaladık. Yolu açmayı başaramadık. Savaşmayı sürdürüyoruz, ama Albay Gardikas sonuç alacağımızı hiç sanmıyor. Düşman çok sert."

Ümitsizlik iniltileri duyuldu. Bir subay, "İki gündür açız.." diye çığlık attı, "..cephane de bitiyor."

Bir başka subay öne çıktı:

"Biz savaştıkça düşman sertleşiyor. Yarın daha da sert olacaktır. Teslim olma vakti geldi komutanım."

Yakarışlar yükseldi:

"Teslim olalım!"

"Lütfen!"

"Durdurun artık bu savaşı, İsa aşkına!"

12. Tümen Kurmay Başkanı Yarbay Saketas öne gelmişti:

"Susun korkaklar! Susun ve beni dinleyin!"

Subaylarla askerlerin üzerine yürüdü. Yarbay Saketas yürüdükçe subay ve askerler açılıp yol veriyorlardı.

"Benimle birlikte Dumlupınar yolunu açmak ve orduyu kurtarmak için ölmeyi göze alacak gönüllü var mı aranızda?"

Bir teğmen öne çıkıp selam verdi:

"Ben varım komutanım!"

Bir papaz ilahi söylemeye başlamıştı. Duygulanan kalabalıktan sesler geldi:

"Ben de varım... Ben de... Ben de..."

Saketas kalabalığın açtığı yoldan ilerliyordu. Gönüllü subaylar ve askerler yarbayın arkasından yürüdüler. Karanlığın içinde kayboldular. İlahi gittikçe uzaklaştı.

Trikupis, Dumlupınar yolunun açılması için savaşan Gardikas birliğinin hemen takviye edilmesini emretti. Frangos'un Dumlupınar'dan ayrıldığını bilmiyordu. Bu inançla şöyle dedi: "Teslim olmak sözünü bir daha duymak istemiyorum. General Frangos Dumlupınar'da bizi bekliyor. Gece olduğu için olup biteni göremediğini, anlamadığını sanıyorum. Yarın sabah şansımızı bir daha deneyeceğiz. Araya girmiş olan Türk birliğini aramızda ezer ve Dumlupınar'a varırız. Şimdi Dumlupınar'a yakın olmak için Çalköy'e yürüyeceğiz. Kısa bir yol bu. Komutanlar hazırlık yapsın.."

Kamçısını kaldırdı:

"..Çocuklarım! Bu geceki parolamız 'mesalongi' (özgürlük) olsun!"

O kısacık yolu aşmak saatler aldı. Ya Türk hücumlarına uğruyor ya birbirlerini Türk birliği sanarak çatışmaya giriyorlardı.

Verdikleri kayıp sayısı çok artmıştı.

Kurtuluş ümidini yitiren hayli subay ve asker, gece hızla yürüyerek Kızıltaş vadisine ulaştılar ve o yoldan ilerleyerek çember kapanmadan batıya kaçarak, Frangos kuvvetlerine katıldılar.

Bu kuvvetlerin acı yazgısına ortak olacaklardı.

Albay Gardikas'ın başında olduğu birliği Yarbay Ömer Halis Bıyıktay'ın 23. Tümeni durdurmuştu.

Tümen Albay Plastiras'ın alayı ile savaşırken, yaklaşan bu birliği görmüş, Trikupis kuvvetlerinin öncüsü olduğunu anlamış, hiç duraksamadan taarruz ederek yolunu kesmişti.

Bütün gece savaşacaklardı. [72]

Dört gündür duraksamadan devam eden taarruzlar sonucunu vermeye başlamış, Yunan kuvvetleri Dumlupınar, Murat Dağı istikametinden çevrilerek sıkıştırılmıştı. Bu haber, Başkomutanlık karargahına ulaşır ulaşmaz, 1. Ordu ve Dördüncü Kolordu Komutanları Başkomutan'a katıldılar. Üç otomobille Dumlupınar-Çalköy yoluyla Kara Tepe'ye[73] hareket ettiler.

---

72 ÖZAKMAN, Turgut, A.g.e., s. 636-637
73 Zafer Tepe

Çevirmeyi yapan Türk kuvvetleri Trikupis kuvvetlerini dar bir alana sıkıştırıyorlardı. Geceden başlayan yağmur artmaktaydı.

23. Tümeni takviye etmesi ve Kızıltaş vadisinin ağzını kapatması için bir tümen yollanmıştı. Hava oldukça kararmış, yağmur şiddetlenmişti. Bu tümenin ileri sürdüğü alay, araziyi tanımadığı ve yağmur yüzünden iyi gözetleme yapamadığı için vadinin 3-4 kilometre güneyinde durdu. Süvariler daha yetişmemişti.

Kızıltaş vadisi açık kaldı.

Albay Gardikas, 5. Tümen Komutanı Albay Rokkas'la anlaştı. İki-üç bin kadar askerle birlikte Kızıltaş vadisine çekilerek batıya doğru yürümeye başladılar.

İki tümen komutanı, silah arkadaşları dövüşürken savaş alanından kaçmışlardı.

Bu grup, Türklere yakalanmamak için hiç mola vermeden yürüyecek, yaralananları taşımak için durmayacak, yorulanları beklemeyecek, hastalananları bırakacak, bu vahşi yürüyüşle süvariler gelmeden önce vadinin bitimindeki geçitten geçecekti.

M. Kemal Paşa 11. Tümen Komutanı Yarbay Derviş Bey'den taarruzu şiddetlendirmesini, topçuların açığa çıkarak ateş etmelerini istedi.

"Başüstüne."

Derviş Bey topçulara gerekli emirleri verdi, taarruzun başında bulunmak için ileri hatta koştu.

Başkomutanın savaşı ateş hattından izlemesi ve yönetmesi, çevredeki bütün subayları ve askerleri daha da coşturmuştu. Birlikler Yunan savunma mevzilerine iyice yaklaştılar. Topçular açığa çıkarak ateşe başladılar.

2. Ordu'dan 61. ve az sonra da 16. Tümenler de geldi,

Adatepelerin kuzeyindeki ormana ve tepelere yayıldılar. 61. Tümen'in 190. Alayı'ndan Haydar Çavuş Allıören Köyü'nün kuzeyindeki yamaçta şehit oldu.

Otuz bin insan, iki Adatepe ile bu tepelerin kuzeyindeki vadiye yığılmıştı. Yunan askerleri ilerde buraya 'ölüm çukuru' adını vereceklerdi.

Cephane kamyonları vuruldukça, göğe ateş fıskiyeleri yükseliyor, kulakları sakatlayan tarakalar duyuluyordu. Trikupis'in kurmaylarından Yüzbaşı Kanellopulos ilerde bugünü özetle şöyle anlatacaktı:

"Topçular ile bazı birlikler henüz disiplini koruyorlardı. Kızıltaş vadisi yoluyla kaçmak isteyenler Allıören'e doğru sızmaktaydılar. General Trikupis'in emrine göre, karanlık basana kadar direnilecek, karanlık basınca Kızıltaş vadisinden batıya doğru hep birlikte çekilinilecekti.

Türkler çevremizi kuşatmayı tamamladılar. Acı savaş başladı.

Saat 13.30'du.

General Trikupis ve Digenis, bir taş ocağında, heykel gibi duygusuz ve sakin, başlayan faciayı izlediler. Karargâh subayları çevrelerinde oturmuşlar, komutanlarını şarapnel parçalarına karşı koruyorlardı.

Trikupis teslim olma önerilerini sürekli reddediyordu.

Saat 16.00'da Türk topçusunun faaliyeti doruğa çıkmıştı. Eriyorlardı. Bataryaları mahvoluyor, cephane ve yaralı dolu kamyonlar havaya uçuyor, insanlar büyük bir korku içinde ormanlara, yarıklara, kuytulara kaçışıyorlardı. Sinirler boşanmıştı. Bazı komutanlar korkudan çılgına dönmüş askerlerini yatıştırmak için alay sancaklarını açtırdılar. Bir yararı olmadı. Kuzeyden, doğudan yeni yeni Türk birliklerinin yaklaştıkları görülüyordu.

Saat 18.30'da bütün toplar susturulmuştu.

Titreyerek güneşin batmasını bekliyorlardı!

Kızıltaş Vadisi, tabanından ince bir derenin aktığı, iki yanı sık ormanlık bir vadiydi. Silahlanmış köylüler bu vadiden geçen küçük kafilelere saldırıp yok ediyorlardı. Yine küçük bir grup geliyordu. Nefeslerini kesip beklediler.

On beş kadar Yunanlı kaçak soluya soluya yaklaşıyordu. Öndeki subay bir hışırtı duydu, başını çevirdi, köylüleri gördü ellerinde baltalar, kazmalar, satırlar, tırpanlar, bir de tüfek vardı "Türkler" diye bağıracaktı, bağıramadı, alnına kurşunu yedi.

Köylüler askerlerin üzerine atıldılar.

Güneş Murat Dağı'nın ardında kaybolup akşam alacası çökerken, top ve piyade ateşi kesildi, askerler süngü hücumuna kalktılar. Çelik süngüler akşam ışığında çakıp sönüyorlardı.

M. Kemal Paşa siperin içinde ayağa kalktı. Savaş heyecanı ile doluydu. Kabarıp taşarak haykırdı:

"Hacianestiii! Nerdesin? Gel de ordularını kurtar!"

Hacianesti odasının penceresinden karanlık denize bakıyordu. General Valettas son bilgileri verdi:

"General Frangos'un emrindeki birlikler Uşak'a çekiliyor. Bazı askerlerin birliklerden ayrılıp küçük gruplar halinde birleşerek batıya doğru kaçtıkları bildiriliyor."

"Trikupis?"

"Bugün ondan hiç haber yok."

Hacianesti'nin omuzları daha da çöktü. Bütün enerjisi akıp gitmiş gibiydi. İki gündür İzmir'den Uşak'a gitmeye karar veremiyordu.

Bir geminin neşeli düdüğü ikisine de can yakan bir çığlık gibi geldi.

Albay Gardik Albay Rokkas grubu, süvariler yetişmeden geçitten geçmeyi başarmıştı.

Bunun sevinci içinde ilerlerken, 1. Süvari Tümeni yakalayıp çevirdi. Çok kayıp ve esir verdiler. Kurtulabilenler Frangos kuvvetlerine katıldılar.

Korku hepsinin sinirlerini sakatlamıştı.

Savaşan askerleri paniğe uğratmasınlar diye hemen cephe gerisine postalandılar. Yunan ordusuna bir yararları dokunmadı.

Küçük Adatepe'de son dakikaya kadar disiplinlerini koruyan az sayıda Yunan askeri vardı. Bunlar arkadaşlarının kaçabilmeleri için kendilerini feda ediyorlardı.

Türk birlikleri bu son çırpınışı da kırdılar ve karanlıkta birbirlerine zarar vermemek için durdular.

Facianın üzerine katran karası bir gece indi. Yağmur daha da şiddetlenmişti.

Sağ kalmış on bine yakın subay ve asker, eşya ve cephane yüklü katırlar, 12 dağ topu ve silahlarıyla, sessizlik içinde, Kızıltaş vadisine doğru çekildiler. Bu selin içinde kolordu ve tümen komutanları da vardı.

Türk Alayı'nın 3-4 km. kuzeyinden geçerek vadiye girdiler.Gelenlerin çok kalabalık olduğunu gören köylüler saklandılar.

Süvariler Kızıltaş vadisinin bittiği yerdeki geçitte bekliyorlardı.

Emperyalistlerin donattığı, emperyalizmin yönlendirdiği Yunan ordusu ezilmişti. Türkiye için yepyeni bir dönem başlıyordu.

Bugün 2. Ordu'ya bağlı Geçici Süvari Tümeni de Kütahya'ya girmiş, çılgınca karşılanmıştı.

Sağ yanı açık kalınca, Eskişehir'deki Üçüncü Kolordu'nun durumu tehlikeye düştü. General Sumilas, "Bir vuruşta koca orduyu üçe ayırdılar.." dedi, "..artık tutunamayız. Ordudan izin isteyerek, biz de geri çekilelim."

Kurmay Başkanı ayağa kalktı:

"Galiba Anadolu maceramız sona eriyor." "Bence sona erdi bile."

İki yandan kalabalık esir kafileleri geçiyordu. Bir gün öncenin korkusu gözbebeklerine işlemişti. Çevre dağlar, tepeler, vadiler, böyle kaçaklarla doluydu. Birlikler buraları tarayıp kaçakları topluyorlardı.

Başkomutan, İsmet Paşaya, "Bundan sonra ne yapmayı düşünüyorsun?" diye sordu.

"Düşmanın alabileceği her türlü önlemi felce uğratacak şekilde ve hızla, orduyu hiç durmadan İzmir'e yürütmeyi düşünüyorum."

30 Ağustos akşamı Kızıltaş vadisine çekilmiş olan Trikupis-Digenis grubu, bütün gece, yağmur altında karmakarışık yürümüş, sabaha karşı süvarilerin ve köylülerin ateşini yiyerek epeyce kayıp vermiş, dağılıp iki kola bölünmüştü:

General Dimaras ile 12. Tümen Komutanı Albay Kalidopulos kolu, yaklaşık bin kişiydi. Trikupis-Digenis kolu ise altı-yedi bin subay ve erden oluşuyordu.

İki grubun da yiyeceği yoktu. Çevreyi tanımıyorlardı. Kılavuz bulamıyorlardı. Bütün köylüler köyleri boşaltıp uzağa çekilmişlerdi. Ağaç yaprağı, ot yiyerek Murat Dağı'nın vadileri arasında dolaşıp duracaklardı.

İlk çemberden kurtulmuşlardı, ama büyük çemberden kurtulmak mümkün değildi.

Başkomutan'dan "İleri!" emrini alan Birinci Kolordu karşısında General Frangos kuvvetlerinin direnmesi mümkün değildi. 1 Eylül günü Uşak'ı da bırakarak daha batıya çekildiler. Trikupis-Digenis grubunun dağ şartlarına ve açlığa dayanabilme gücü kalmamıştı. Subayların çoğu, askerlerin tümü teslim olmak istediler. General Trikupis bu isteğe bir süre karşı koyduysa da askerin kesin tavrı karşısında teslim olmayı kabul etmek zorunda kaldı.

Kılıcını kırdı.

General Digenis ve 13. Tümen Komutanı Albay Kaimbalis, iki kolordunun ve beş tümenin kurmay başkanları, kurmayları, topçu komutanları, 580 subay, 4.985 er, 100 makineli tüfek ve 12 dağ topuyla, Minkarip adlı küçük bir köyde, 1. Ordu'dan bir birliğe teslim oldular.

Başkomutanlık, Genelkurmay, Batı Cephesi, 1. Ordu ve Dördüncü Kolordu Komutanlıkları karargâhları Uşak'a yerleşmişlerdi.

Uşak hâlâ tütüyor ve şehrin üzerine kül yağıyordu.

Uşak'a getirilen esirler kafilesi yanık kokusu ve yangın kalıntılarıyla dolu yollardan geçmekteydi. Kafilenin önünde iki kolordu komutanı, üç tümen komutanı, arkalarında kolordu ve tümenlerin kurmay başkanları, üst rütbeli subaylar, bunların da arkasında yüzlerce karargâh ve birlik subayı vardı.

Yolların iki yanına, esirleri Uşaklıların tepkilerinden korumak için askerler dizilmişti. Acı ve öfke dolu kadın ve erkekler, askerlerin arasından bağırıyor, küfrediyor, yumruk sallıyor, yüzlerine tüküremedikleri için yere tükürüyorlardı.

Birçok subayın yüzüne, yüz yıl geçse bile silinmeyecek bir korku sinmişti.

Askeri protokol gereği, galip ordunun komutanları, sadece iki kolordu komutanını, Cephe Kurmay Başkanı da kolordu ve tümen kurmay başkanlarını kabul edecekti.

Görevliler önce kurmay başkanlarını kafileden ayırıp Batı Cephesi Kurmay Başkanı Albay Asım Gündüz'ün odasına getirdiler. Yangınlar, yağmalar, cinayetler yüzünden Asım Bey çok kızgındı. Elini vermedi. "Oturun" demedi.

Nefretle bakarak, "Sizleri.." dedi, "..askerlik ve insanlık kaideleri içinde savaşan düzenli bir ordunun kurmayları diye mi, yoksa ahlak ve kanun dışı, kanlı bir çetenin mensupları olarak mı karşılamak lazım? Tereddüt içindeyim."

General Trikupis ve Digenis'i önce Dördüncü Kolordu Komutanı Kemalettin Sami Bey, sonra 1. Ordu Komutanı Nurettin Paşa, daha sonra Cephe Komutanı İsmet Paşa kabul etti. İsmet Paşa, kısa bir konuşmadan sonra, iki kolordu komutanını, M. Kemal Paşa'nın huzuruna götürerek Paşa'ya takdim etti.

Esirler Başkomutanın masasının karşısındaki iki iskemleye oturdular. Trikupis biraz daha dinç görünüyordu. Digenis bitkindi.

Başkomutan sağına Fevzi Paşa'yı, soluna İsmet Paşa'yı almıştı. Savaştan konuştular. Salonun sonundaki aralıkta Halide Edip Hanım, Ruşen Eşref, Mahmut Bey, yaverler ve bazı kurmaylar, derin bir dikkatle bu tarihi sahneyi izlemekteydiler. Üç yılda nereden nereye gelinmişti? O şamatacı, acımasız, kibirli Yunan ordusunun yerinde yeller esiyordu. Özerk İyonya yönetimi de, Bizans İmparatorluğu'nu diriltme hülyası da tarihe karışmıştı.

M. Kemal Paşa konuşmanın sonunda, "Hacianesti yerine Başkomutanlığa atandığınızı biliyor musunuz?" diye sordu.

"Hayır."

"Bildirmek için telsizle sizi arıyorlardı."

"Durumumuz bu işte Mareşalim. Yönetim her zaman olayların gerisinde kaldı. Sonuç da tabii böyle oldu."

Utanç içinde önüne baktı.

"Üzülmeyin General. Siz vazifenizi yaptınız. Artık misafirimizsiniz.."

Ayağa kalktı. Ötekiler de kalktılar. İki general, Mareşal Gazi M. Kemal Paşa'nın karşısında esas duruşta durdular.

"..Sizin için bir şey yapabilir miyim?"

"Eşime sağ olduğumun bildirilmesini rica ederim. Kendisi İstanbul'da."

Başkomutan, İsmet Paşa'ya, "Gerekeni yapın" dedi.

Esir generaller, M. Kemal Paşa'yı derin bir saygıyla selamlayıp ayrıldılar.[74]

Süvari Kolordusu 9 Eylül Cumartesi sabahı iki kol halinde marşlar söyleyerek İzmir'e yürümeye başladı. 1. ve 2. Süvari Tümenleri Bornova-İzmir yolunda ilerliyorlardı.

Hava mis gibi İzmir kokuyordu.

Direnen küçük birlikleri kılıçtan geçirerek İzmir'e girdiler. Önde 2. Tümen'den 4. Alay'ın Komutan Yardımcısı Yüzbaşı Şerafettin İzmirli ve birliği vardı. Kader bu yüzbaşıya da, o kadar istediği 'İzmir'e ilk giren süvari' olmak mutluluğunu nasip etmişti.

Öncüyü, tümenin öbür alayları izledi. Binlerce süvari, kılıç çekmiş olarak, kordonboyunu doldurmuş kaçak Yunanlı askerler,

---

74 ÖZAKMAN, Turgut, A.g.e., s. 641-653

göçmenler, Rumlar, Ermeniler, vatandaşlarını korumak için karaya çıkmış olan İngiliz, Fransız ve İtalyan subay ve askerleri ile bağıran, dua eden, ağlayan Türklerin arasından, minarelerden yağan sala sesleri altında, dörtnala, nallarından kıvılcımlar saçarak, heybet ve haşmetle geçtiler.

Hükümet konağına Türk bayrağını Yüzbaşı Şerafettin, Kışlaya Yüzbaşı Zeki Doğan, Kadifekale'ye Asteğmen Besim çekti.[75]

9 Eylül günü İzmir'de ne sıkıyönetim ilan edildi, ne sokağa çıkma yasağı. Süvariler şehri denetim altına almışlardı. Türkler geç saatlere kadar zaferi kutladılar.

Şehir gece yarısından sonra sessizliğe gömüldü.

Süvari Kolordusu'nun ağırlıkları geride kalmıştı. Gece saat 03.00'te İzmir'e girdi. Kolordunun bandosu da ağırlıklarla birlikte gelmişti. Denizi görür görmez bando aşka gelip İzmir Marşı'nı çalmaya başladı.

Şehir yeniden uyandı.

Kutlamaya doymamış olan millet yeniden giyinip sokaklara döküldü. Sabaha kadar eğlendiler.

Komutanlar 10 Eylül 1922 Pazar sabahı İzmir'e geldiler. Hükümet konağına indiler. Konak Meydanı tamamen doluydu. Kurbanlar kesiliyor, halk bir an bile susmadan sevinç çığlıkları atıyordu. Kalabalığın arasından geçirilip kışlaya götürülen esirler "Zito Mustafa Kemal!" diye bağırıyorlardı.

Metropolit Hrisostomos kaçmamıştı. M. Kemal Paşa'yı görmek için konağa geldi, ama Nurettin Paşa ile görüşebildi. Nurettin Paşa Hrisostomos'u azarladı, yerine bir vekil bırakarak görevinden çekilmesini istedi.

---

75 ÖZAKMAN, Turgut, A.g.e., s. 661

Hrisostomos konaktan çıktı, meydandaki insan denizinin içine karıştı. Halk Hrisostomos'u linç etti.

İkinci Kolordu Komutanı İzzettin Çalışlar Paşa, kısa bir süre için İzmir'e askeri vali olarak atandı.

X. BÖLÜM

"İzmir'in dağlarında çiçekler açar"

Salih, atını kışlanın önünde duran bölük komutanı Yüzbaşı Şerafettin Bey'e doğru sürdü. İzmir'e girdiklerinden beri yüreği heyecandan yerinden fırlayacakmış gibi sürekli çarpıyordu.

Atından süratle indi. Komutanın önünde düzgün bir asker selamı vererek saygıyla gözlerine baktı.

Üç yıl önce mavi beyaz bayraklarla donanmış Yunan işgal Kuvvetlerini karşılayan meydan şimdi kan kırmızısı bir gelinlik giymiş bir nazlı gül gibi güneşin akşam ışıklarında gözlerini okşuyordu. Şerefettin Bey, vakur duruşuyla bu manzaranın karşısında donakalmıştı. Salih'in geldiğini görünce, bu kahraman çavuşuna, evladına bakıyormuş gibi sevgiyle baktı.

"- Bak Salih'im, bu meydanda gördüğün kıpkırmızı bayraklarımız, bizimle savaşan kahraman arkadaşlarımızın döktüğü kanları anımsattı bana. Sanki bu zaferi izlemek için meydanı doldurmuşlar." Gözleri dolu doluydu.

"- Komutanım, ben…"

"- Ailenin evine mi gitmek istiyorsun?"

"- Evet Komutanım."

"- Metin ol Salih Efe, belki gördüklerin seni mutlu etmeyebilir. Artık yeni bir yaşam başlıyor. Git bak bakalım."

" Emredersin Komutanım."

İngiliz tayı hiç bu kadar yavaş gelmemişti ona. Sanki eve giden yol ömrünün en uzun yoluydu. Üç yıl önce gizlice kaçtığı bu sokaklar, onu al-beyaz bayraklarla tekrar bağrına basmıştı.

Maşatlık yolundan Kadifekale yönüne sürdü atını. Türk mahallelerine yaklaştıkça, canı sıkılmaya, umutsuzluğa kapılmaya başladı. Daha hızlı sürmeliydi. Ama dokuz gündür hiç durmadan koşan İngiliz tayı artık yorgunluktan tükenmek üzereydi. Attığı her adımda atın o güçlü ince bacaklarının titrediğini hissediyordu.

Evin önüne geldiğinde, heyecanı bir kat daha artmıştı. Taş bina üç yıla direnmiş dimdik ayakta duruyordu. Bahçe kapısı ardına kadar açık, avludaki ocak ince ince tütüyordu. Üzerinde simsiyah bir tencere vardı. İçinde bol su içinde yüzen bir avuç bulgur kaynıyordu. Her haliyle yoksulluk ve açlık kendini gösteriyordu. Belki de elde kalan son avuç bulgurdu bu, ama yemek kısmet olamamıştı sahiplerine. Yavaşça merdivenlerden yukarıya doğru çıktı. Etrafa atılmış birkaç eski, yırtık giysi, öteberi vardı, ama çok fazla değildi. Ev neredeyse boş durumdaydı. Burada yaşayanlar her kimse, çok yoksul bir yaşam sürmüşlerdi anlaşılan. Birilerinin hayallerinin peşine sürüklenip gelmişler, hayalsiz olarak kaçarcasına evi terketmişlerdi.

Her zaman yaptığı gibi en sevdiği yere, terasa çıktı. Körfez akşam güneşinin altında çok net gözüküyordu. İrili ufaklı bir sürü gemi körfezin sularında nereye gideceğini bilmeden sağa sola doğru hareket ediyorlardı. Üç yıl önce gördüğü savaş gemileri de sanki orada duruyordu, ama bu sefer o mağrur görüşlerinin yerini akşam güneşinin kızılığı altında sanki mahçup mahçup demirlemişlerdi. Bacalarından çıkan dumana bakılırsa birazdan ayrılacak gibiydiler.

Sanki üç yıl hiç geçmemiş, yaşananlar bir rüya imiş, bir mayıs akşamı körfezin üzerindeki gemilere bakıyormuş hissine kapıldı. Birazdan Hayriye Hanım o sevecen sesiyle seslenecek "Salih, oğlum yemek hazır hadi daha dedeni yatıracağım"...

Çabucak medivenleri aşağıya doğru indi. Bahçe kapısını eline geçirdiği kalın bir iple sıkıca bağladı. Yerden aldığı bir tuğla parçası ile tahta kapının üzerine "Burası Halit oğlu Salih Çavuş'un evidir" yazarak yokuştan aşağıya doğru atın yularını çekip yürüyerek inmeye başladı. Orada biraz daha kalsaydı, duygularına yenilecek ve çocuklar gibi ağlayacaktı. Bunu kendine yakıştıramamıştı.

Hava kararmaya başlamıştı. Rum ahalinin çoğunlukta olduğu Yazıcı mahallesine gelmişti. Büyük bir sessizlik vardı. Evlerin perdeleri sıkı sıkıya kapanmış, içlerinde sanki kimse yaşamıyormuş hissi vardı. Evlerden belli belirsiz idare lambalarının cılız ışıkları gözüküyordu. Korku, bütün heybetiyle bu evleri sarıp sarmalamıştı.

Üç yıl önce yaşananlar düşünüldüğünde, Rum ahalinin sessizce kaderlerine boyun eğmelerini anlamakta zorlanmıyordu. Yunan ve Rum askerlerinin insafına kalan Türklerin yanmış ve parçalanmış cesetlerinin kokusu şehrin ara sokaklarından aylarca gitmemişti.

Gözü, yamaca dayanmış eski ahşap eve takıldı. Atını çekerek kapısına kadar geldi. Kapı hafif aralıktı. Yavaşça eliyle iterek içeriye girdi. İngiliz tayının kişneyerek ayaklarını yere vurması, evdekileri telaşlandırmış tahta zemininden telaşlı koşuşturma sesleri geliyordu. Ev kalabalıktı belli ki.

"- Kim gelmiştir vire?" diye seslendi bir erkek sesi.

"- Herhal, askerler geldi," dedi ağlamaklı bir kadın sesi.

Salih, atı merdiven başındaki ağaç korkuluğa bağlayarak yavaşça yukarı çıktı. Eskimiş tahta basamaklar, her adımda, yarası ağır bir insanın iniltisi gibi gıcırdıyordu. Filintası her zaman olduğu gibi sol elinde ve sağ eli kuşağındaki tabancasının kabzasında idi.

Kapı aralıktı. İçerideki zayıf ışık koridoru aydınlatıyordu. Tüfeğinin ucuyla kapıyı iterek yavaşça içeri girdi. Karşısında iyi giyimli orta yaşlı bir Rum ile sağında solunda iki kadın dimdik ayakta duruyordu.

"- Bay Aleksandros Kalimaki?"

"- Evet benim, ne istemiştiniz?" derken kaçınılmaz sonun geldiğini düşünüyordu Aleksandros. Ama bu askerin kendisini tanımasına şaşırmıştı.

"- Ben Hüsrev Bey'in torunu, Hayriye Hanım'ın oğlu Salih'im. Benden korkmanıza gerek yok, size bir kötülüğüm dokunmaz. Sadece, Hristo'dan haber getirmiştim. Geçen sene Sakarya'da tesadüfen görmüştüm. Akhisar'da annemle bacıma büyük iyiliği dokunmuş, canlarını namuslarını korumuş" dedi bir çırpıda.

Korkudan sapsarı kesilen Aleksandros, Heleni ve Samira hıçkırarak ağlamaya başladılar.

"- Vire sen bizim Salih'misin? Tanrıya şükürler olsun" diyerek Salih'in boynuna sarıldılar.

Bu duygu yüklü karşılaşma her iki tarafı da oldukça rahatlatmıştı. Aleksandros'un valilikte çalıştığını bilen bazı Rum komşuları da evlerine sığınmışlardı. Hepsi birer ikişer ortaya çıkarak şaşkın şaşkın Türk askerinin yüzüne bakıyorlardı. Türk askerinin İzmir'e geldiğini duydukları birkaç günden beri korku içinde yaşayan bu insanlar, tanıdık bir Türk asker komutan bularak canlarını, evlerini, mallarını kurtarma telaşı içine düşmüşlerdi. Daha birkaç yıl önce büyük şenliklerle, kutlamalarla karşıladıkları Yunan askerleri ve onların destekçisi Rum komitacıların katliam ve tecavüzlerini görmezlikten gelmişler umursamamışlardı. Şimdi yangın, ocaklarına düşmüştü. Elbette bu duyarsızlıkları cezasız kalması doğru değildi. Ama bu ceza onları yakıp, parçalayıp yok etmek olmamalıydı.

Salih için ise onlar hâlâ Rum komşuları ve mahalle arkadaşları idi. O, kendisine cephede bile mermi sıkan Yunan askerinin, yaralarını sarmışken bu masum, silahsızlara el kaldırmak kitabında asla yazmazdı.

Hemen sıcak bir çorba ve ekmek getirildi. Herkes çevresine düzgünce oturmuş, Salih'in anlatacaklarını can kulağı ile dinlemeye hazırlanmışlardı. Hepsinin endişeleri kendi durumlarının ne olacağı idi. Dünden beri, Yunanistan'dan ve adalardan gelenler apar topar buldukları kayıkçı tekneleriyle kaçmışlardı. Yerli Rumların bir kısmı dağlara doğru çekilmişti. Kimisi de kendini Türk askerinin insafına bırakmıştı. Kimse ne yapacağını tam olarak bilmiyordu.

"- Savaş bitti" dedi Salih. "Yunan askerleri Dumlupınar'dan beri bozgun şeklinde geri çekiliyorlar. Komutanlar dahi birçoğu teslim oldu."

"- Biz ne olacağız vire?" dedi yaşlı bir Rum.

"- Türklere karşı savaşan ve katliam, tecavüz gibi olaylara karışan yerli Rumlar için Hükümet istiklal mahkemelerinde yargılayarak ölüm cezası veriyor, ama aileler için ne yapacaklarını bilmiyorum" dedi.

Heleni'nin rengi bembeyaz oldu. Biricik oğlu ya esir olmuş mu, kurşuna dizilmiş mi ya da dizilecek mi? Nasıl öğrenmeliydi? Artık kendi durumu anlamını yitirmiş, sadece ve sadece Hristo'yu düşünüyordu.

"İsa aşkına" dedi içinden "Kendi oğlumun katili olacağım. Onu bu savaşa, bu maceraya, bu hayallerin peşinde koşmaya ben ikna ettim. Keşke o zamanlar Aleksandros'u dinleseydim." Eşinin yüzüne baktı. Her şeyi kabullenmiş gibi sakalını çekiştiriyordu. Ama yüreğindeki acıyı tahmin edebiliyordu. Samira için için ağlamaya başladı. Çocukları, Türklere karşı savaşmış aileler de sessizce ağlıyorlardı.

"- Ben kalkayım artık" dedi Salih saygıyla. Hepsi bu temiz yüzlü delikanlının aradaki kana rağmen komşularına göstermiş olduğu nezaketi karşısında saygı gösterdiler.

"- Merak etmeyin" dedi kalkarken, "Başkomutanımız Mustafa Kemal Paşa'nın emri var, savaş alanı dışında mecbur kalınmadıkça hiç kimseye zarar verilmeyecek, kurşun atılmayacak. Canınınız, malınız, ırzınız güvende" diyerek dışarı fırladı. Aklında annesi ve ablası vardı sadece.

Atını merdivenin başından çözerken omuzunda sıcak bir elin dokunuşunu hissetti. Arkasına döndüğünde Samira ile göz göze geldi. Karanlıkta ıslak mavi gözleri pırıl pırıl parlıyordu.

"-Hristo!..." dedi ve yutkundu.

"-Merak etme bacım, yarın bir gurup tutsak kışlaya getirilecek, bakakoyarım, gönlünü ferah tut. Söz veriyorum elimden geleni yapacağım, yeter ki sağ salim gelsin. Yarın sabah erkenden kışlanın önüne gelin, olur mu?"

"-Geliriz, sağol, Tanrı yanında olsun"

Taş kaldırımlar üzerinden İngiliz tayının çıkardığı şakırtılarla uzaklaşmasını dinlediler.

Üç yıldır duyulamayan sabah ezanı şehrin her köşesinden koro halinde coşkuyla yankılanıyordu. Yunan ve Rumların kaçarken çıkardıkları yangınlar hâlâ devam ediyordu. Sabah çok erken olmasına rağmen tüm askerler uyanık ve tetikte her an göreve hazır olarak bekliyorlardı. Artık hiçbir şeyi şansa bırakamazlardı. Yunanlıların Trakya'dan bir kolordu getirdikleri söylentisi vardı. Ama artık bu savaş bitmeliydi.

Dün ele geçirilen bin kişilik bir esir gurubu kışlanın ortasına düzgünce oturtulmuş, birkaç Türk askeri de ellerindeki sepetlerden onlara yarım tayın dağıtıyordu. Hepsi, oldukça yorgundular. Neredeyse tüm gece yürümüşlerdi.

Salih, akşam verdiği sözü yerine getirmek için Yunan esirler gelir gelmez Hristo'yu aramaya başlamıştı. Nasıl bulacağını da bilmiyordu aslında. Ama bulmalıydı. Annesini, ablasını kurtarmıştı, ona borçlu ölmesine izin veremezdi.

Kışlanın karşısında, Rum aileler tutsakların geldiğini görmüşler, evlatlarını, yakınlarını hiç değilse son bir kere daha görmenin ümidiyle sabahın erkeninde sessizce toplanmışlardı.

Heleni, Samira ve Aleksandros da oradaydı. Gece hiç konuşmamışlardı. Konuşmanın da anlamı yoktu zaten. Sonu başından belli bir savaşın sonuçları belki de hayatlarında en çok sevdikleri yavrularının yaşamına mal olacaktı. Evlerini, işlerini, yaşamlarını kaybedeceklerdi. Gözleri dolu doluydu, yüreği buruk ve acı doluydu. Karısının ve kızının elini sıkıca tuttu. Sabaha kadar ağlayan Heleni bitmişti, tükenmişti sanki. Elinde hiç güç kalmamıştı. Samira, babasının elini sımsıkı yakaladı ve karşıdan gelen askeri işaret etti heyecanla,

"- Bakın!"

"- Bu bizim Hayriye'nin Salih değil mi vire?"

Salih, sevinci yüzüne yansımış hızlı adımlarla onlara doğru geliyordu. Kalpleri duracaktı sanki.

"-Beni takip edin" dedi ve kışlaya doğru tekrar döndü. Hızlı ve çekingen adımlarla Salih'in peşinden gitmeye başladılar. Aleksandros, karısıyla kızının elini hâlâ bırakmamıştı. Korku, endişe, sevinç karmakarışık duygular içindeydiler.

Kışlaya girdiklerinde perişan halde tutsak askerler, dağıtılan ekmeği yemeye çalışyorlardı. Bir kısmı oturduğu yerde uyuyakalmıştı. Salih, kışlanın üst katına çıkan merdivenleri hızla çıktı ve ilk odanın kapısında saygıyla durdu, cepkenini ve şapkasını düzelti, kapıyı çaldı ve açtı.

"- Aileyi getirdim komutanım" dedi. Sonra biraz yana çekilerek Aleksandros, Heleni ve Samira'nın odaya girmesini istedi.

Valinin özel kalem müdürü yılların memuru Aleksandros, çekinerek içeriye girdi. Karşı masada başında kalpağıyla Yüzbaşı Şerafettin Bey oturuyordu, misafirler içeri girince saygıyla ayağa kalktı. Başını sola çevirdiğinde başında sargılı ve sakalı uzamış, üzerinde yırtılmış, çamurlanmış Yunan elbisesi ile Hristo'yu gördü.

Korkuyordu.

Korkuyordu çünkü üç yıldır Yunan ve Rum asker subayların yakaladıkları Türk esirlere nasıl işkence yaptıklarını çok iyi biliyordu. Onları süngüleriyle delik deşik yaptıktan sonra, burun, kulaklarını kestiklerini, gözlerini canlı canlı oyduklarını duymuştu. Bu Türk Komutanın insafı ile baş başa kalmıştı şimdi. İçinden sürekli dua ediyordu.

Şeraffettin Yüzbaşı, saygıyla Hristo'nun ailesine yer gösterdi ve oturmalarını söyledi. Çekinerek tahta sandalyenin kenarına iliştiler.

"- Bay Aleksandros, Salih bana her şeyi anlattı. Sizin, Vali Beyin özel kaleminde çalıştığınızı, Vali İzzet Bey'i işgalde tutuklanmaktan kurtardığınızı, oğlunuz Hristo, gönüllü olarak katıldığı Yunan kuvvetlerinde hiçbir yağma, tecavüz ve öldürme olayına karışmadığını, Salih'in annesi ve ablasını ve Akhisar'da birçok Türk ailesini kurtardığını biliyoruz. Ancak, yine de yargılanacak. Merak etmeyin, yargılamada tüm bu deliller onun lehinde olacaktır. Bu durumu Komutanımız Fahrettin Bey'e de anlattım. Onun izniyle oğlunuzu mahkemeye kadar size teslim edeceğiz" dedi.

Aleksandros artık dayanamamıştı. Yağmur gibi gözyaşları boşalıyordu. Çekinerek kalktı ve oğluna sımsıkı sarıldı. Odadaki herkesin gözleri dolmuştu. Bir gün önce düşmanı olan bu insanların sevinçleri onları duygulandırmıştı.

Hristo, odadan çıktığında Salih'le karşı karşıya geldi. Onların bu kavuşması Salih'i çok mutlu etmişti. Birbirlerine dostça sarıldılar. Yüreklerindeki dostluk her şeyin ötesinde idi.

Şerafettin Bey İzmir'e ilk giren subay olarak üçüncü kılıcı almış, Hristo ailesine kavuşmuştu, ancak Salih tam olarak mutlu olamamıştı. Bir an evvel annesi ve ablasını görmek istiyordu. Kışla duvarın dibinde denize doğru oturmuştu. Uzaktan Eyüp'ün sıçraya sıçraya bağırarak geldiğini gördü.

"- Salih Efe! Ülen Salih Efe!

"- Ne oldu! Eyüp. Buradayım"

Dikkatli bakınca arkasından bir at arabasının yaklaştığını gördü. Araba meydanda durdu. Yavaşça ayağa kalktı. Yüreği hiç bu kadar hızlı çarpmamıştı. Arabadan peş peşe iki kadın indi. Salih, olduğu yerde donup kalmıştı. Gelenler annesi ve ablasıydı.

Türk süvarileri Akhisar'a girdiğinde Hayriye Hanım Eyüp'ü tanımıştı. Eyüp Efe de bir askeri arabaya bindirerek birlikte İzmir'e gelmişlerdi.

XI. BÖLÜM

"Son"

Savaş bitmişti. Bundan sonrası masa başında geçen diplomatik savaş ve kazanımlardı.

Damarlarında tek damla Yunan kanı bulunmayan Kral Constantine, binlerce insanın bedenlerini Anadolu topraklarında bırakarak memleketine dönmüştü. Büyük bozgundan sonra Avrupa'ya kaçmış, bir yıl sonra Palermo'da ölmüştü.

Savaştan kurtulan ve Yunanistan'a varan subayların ilk işi bir hükümet darbesi yapmak oldu. Yunan halkını bu maceraya sürükleyen politikacıları, halk adına yargıladılar ve idama mahkûm ettiler. Başbakan Gounaris, Milli Savunma Bakanı Theotakis, Dışişleri Bakanı Baltazzi ve İçişleri Bakanı Stratos ile Küçük Asya Ordusu Komutanı Hacianesti politik hayalleri yüzünden kurşuna dizildiler. Papoulas, Sakarya savaşından sonra görevden alındığından ölüm cezasından kurtulmuştu. Prens Andrew ise İngilizlere sığınarak canını kurtarmıştı.

Türkler, altı yüzyıllık Osmanlı Devleti'ni savaşla birlikte sonlandırmıştı. Padişah, ailesiyle birlikte İngilizlere sığınarak Malta'ya kaçmış, Ankara Hükümeti tüm ülkeye hâkim olmuştu. Dünya artık bir kahraman Başkomutanın önünde eğilmişti. Mustafa Kemal, ulusunun kaderini değiştirmiş, yok olmaktan kurtarmış ve geleceğe modern bir ülke yaratmak için kollarını sıvamıştı. Bu mücadele diğer işgal altında olan tüm mazlum ülkeler için örnek olup, kendi istiklallerini kazanma yolunda itici güç olmuştu.

Ama olanlar Türk ve Yunan halklarına olacaktı. Ege'de, adalarda ve Karadeniz'de yüzyıllardır birlikte yaşayan Türk ve Yunan halkının arasına kan davası sokulmuş, düşman edilmek istenmiştir. Bu iki halkın artık bir arada yaşaması imkânsız diye düşünülecek, karşılıklı göç ettirilecekti. Batı Trakya'daki Türkler ve İstanbul'daki Rumlar dışındaki tüm Türk ve Rum ahali karşılıklı olarak Türkiye'ye ve Yunanistan'a göç ettirilecek, kökleri kopartılacaktı.

Milyonlarca insanın, köklerinden kopartılan ağaçlar gibi yer değiştirmesi, onarılmaz sosyal bozukluklara ve yıkımlara yol açmıştı. Anadolu'dan gönderilen Rumların çoğu Türkçeden başka dil bilmediklerinden horlandılar ve dışlandılar. İki halk için her şey o kadar zordu ki...

Aleksandros tüm ailesi ile birlikte Yunanistan'ın Selanik şehrine, dedelerinin topraklarına yerleşti. Selanik güneş doğarken İzmir'e çok benziyordu. Sahilde yürüdüğünde kendini kordonboyunda gibi hisseder, dalar giderdi. Uzun yıllar yaşadığı memuriyet hayatından sonra toprağa dönmesi zor olmuştu. Ama oldukça çalışkan biri olduğundan kısa zamanda yaşamlarını sürdürebilecek bir düzen kuracaktı. Yüreğini İzmir'de bırakmıştı sanki.

Heleni, ihtirasının bedelini neredeyse oğlunun acısı ile ödeyecekti. İnsanlık duygusunun her şeyin üstünde olduğunu Hayriye Hanım ve ailesinden öğrenmişti. Ailesi Yunan askerleri tarafından öldürülen öksüz bir Türk çocuğunu evlat edindi. Zaman zaman Türk ve Yunan Dostluk derneklerine gidiyor ve yaşadıklarını anlatıyordu.

Samira, Türkiye'de Aydın Nazilli'de büyük bir çiftliğe hanım ağa oldu. Eyüp, savaştan sonra babasını gönderip Türk âdetlerine göre istetmişti. Hiç karşı çıkmamışlardı. Türk ve Rumların katıldığı kocaman bir düğün yapmışlardı. Samira kendi isteği ile müslüman olmuş Şerife adını kullanmaya başlamıştı.

Hristo, çıkarıldığı İstiklal Mahkemesinde tüm suçlarından beraat etti. Ancak ailesi ile birlikte ahali değişiminden kurtulamadı. Ama Yunanistan'a giderken bir de gelin götürmüştü. Saliha… Savaştan sonra kaynaşan iki aile arasında yaptıkları mütevazı bir düğünle evlenmişlerdi. İzmir onlar için suyun öteki yanıydı sadece. Diledikleri zaman gelebiliyorlardı.

Salih, namı diğer Kemeraltı çarşısının en sevilen baharatçılarından Salih Amca.

Dağlarda geçirdiği üç yıl boyunca, köylü arkadaşları ve efelerden öğrendiği binbir çiçek, baharatlardan ilaç ve çeşni yapabiliyor, her türlü derde bitkisel çare bulabiliyordu. Savaş yıllarında bile arkadaşlarının yaralarına merhem yapıp acılarını dindirmesiyle ünlenmişti. Usta ve çalışkan bir yapısı vardı. Gördüğünü unutmaz ve el becerisiyle çabucak yapardı.

Soyadı kanunu ile birlikte hiç göremediği babasının ismini soyadı olarak aldı.

Salih Halitoğlu

Ailesi savaşta ölmüş bir Türk kızıyla evlendi. Sümbül. Ona aslan gibi iki oğul Yahya ve Hüsrev ve dünyalar güzel bir kız verdi. Kemeraltı'nda küçük bir aktar dükkânı almıştı. Zamanın çoğunu, kendisine yataklık eden tabiatta ve dağlarda geçirir, akşam eve geldiğinde topladığı çiçek ve baharatları hazırlamak için küçük dükkânında çalışırdı.

Hayriye Hanımı ölünceye kadar hiç yanından ayırmadı. Ona dünyanın en değerli varlığı gibi baktı ve korudu. Ayrılık vakti geldiğinde oğlunun yüzüne sevgiyle ve mutlulukla bakmış,

"- Artık babanın yanına gidivereyim guzum, sen meraklanma ben hep yanında olacağım, yüreğini serin tut. Allah senden, bu millete ve ailene yaptıkların için razı olsun", demiş ve o gece ölmüştü.

Salih Amca'yı tanıdığımda on beş yaşındaydım. Köhne bir baharat atölyesinde, düzgün siperlikli şapkası, gri takım elbisesi ve siyah gravatı ile tam bir İzmir beyefendisi idi. Her sabah hep aynı saatte, yedide dükanını açardı. Çalışanların gelmesi ile ofisine oturur ve kahvesini içerdi. Oğullarından Hüsrev tıp doktoru olmuş, durumu oldukça iyiydi. Yahya ise ismini aldığı dedesinin mesleğini devam ettirircesine inşaat mütahitliği yapıyordu. Kızı, Hayriye ise zengin bir İzmirli iş adamıyla evliydi. Babasını hiç yalnız bırakmaz sürekli yoklardı.

Bir sabah dükkânın kilitli olduğunu gördüm. Merakla sorduğumda...

Sağolun. Vatan size minnettardır.

30 Ağustos 2007

KAYNAKÇA

Arşivler

- *T.C. Genelkurmay Harp Tarihi Arşivi*
- *T.C. Genelkurmay Harp Tarihi Başkanlığı Atatürk Arşivi*
- *T.C. Mili Savunma Bakanlığı Arşivi*
- *T.C. Cumhurbaşkanlığı Arşivi*

Basın

- *Açıksöz (Kastamonu)*
- *Aheng (İzmir)*
- *Akşam (İstanbul)*
- *Cumhuriyet (İstanbul)*
- *Hakimiyet-i Milliye (Ankara)*
- *İkdam (İstanbul)*
- *Renin- Tanin (İstanbul)*
- *Vakit (İstanbul)*

Tezler

- *ERSEM, Mustafa,* **"Milli Mücadele'de Balıkesir, Nazilli ve Alaşehir Kongreleri",** Yüksek Lisans Tezi, Fırat Üniversitesi, Sosyal Bilimler Fakültesi, Elazığ, 1999

- *AVCI, Cemal, "**Milli Mücade Döneminde Türk-Sovyet İlişkileri**",* Yüksek Lisans Tezi, Hacettepe Üniversitesi Sosyal Bilimler Fakültesi, Ankara, 1992

- *KÖYLÜ, Murat, "**1919-1922 Döneminde Türk Ordusu İkmal Sistemi ile Yunan İkmal Sisteminin Karşılaştırılması**"* Doktora Tezi, Dokuz Eylül Üniversitesi, Atatürk İlkeleri ve İnkılap Tarihi Enstitüsü, İzmir, 2006

- *TÜRKMAN, Saim, "* **Kurtuluş Savaşında Batı Cephesinde İaşe**", Yüksek Lisans Tezi, Dokuz Eylül Üniversitesi, Atatürk İlkeleri ve İnkılap Tarihi Enstitüsü, İzmir, 1997

- *ŞAHİN, İsmail, "**Sakarya Meydan Muharebesinde İkmal**",* Yüksek Lisans Tezi, Ankara Üniversitesi Türk İnkılap Tarihi Enstitüsü, Ankara, 1990

- *DOĞAN, Hamdi, "**Milli Mücadelede Doğu Cephesinden Batı Cephesine Yapılan Yardımlar ve İkmal Yollari**",* Yüksek Lisans Tezi, Erciyes Üniversitesi, Sosyal Bilimler Enstitüsü, Kayseri, 1995

- *EZER, Feyzullah, "**Büyük Taarruz Öncesi İkmal ve İaşe**",* Yüksek Lisans Tezi, Fırat Üniversitesi Sosyal Bilimler Enstitüsü, Elazığ, 1997

- *ULU, Cafer, "**Milli Mücadele'de Batı Kradeniz ve Bu Yolla Gelen Yardımlar**",* Yüksek Lisans Tezi, Marmara Üniversitesi Türkiyat Araştırmaları Enstitüsü, İstanbul, 1998

İnternet Siteleri:
- *www.kafkas.org/kitaplık/tezler.html.*
- *www.nigde.gov.tr/milli.html.*
- *www.cankiri.gov.tr/ana/tarih./tarih.html.*
- *www.kastamonu.gov.tr/milli.html*
- *www.inebolu.gov.tr/*
- www.devletarsivi.gov.tr

Eserler

- *ARALOV, S.İ., "Bir Sovyet Diplomatının Türkiye Hatıraları"*, (Çev.:Hasan Ali Ediz), Burçak Yayınevi, İstanbul, 1967

- *ARMAOĞLU, Fahir, Siyasi Tarih*, İş Bankası Yayınları, Ankara, 1983

- *ARI, Kemal, "Üçüncü Kılıç, İzmir'in Kurtuluşu ve Yüzbaşı Şerafattin"*, Zeus Kitapevi, İzmir, Eylül 2006

- *ATATÜRK, Kemal, "Nutuk"* Cilt; I, II, III, Milli Eğitim Basımevi, Ankara, 1970

- *ATAY, Falih Rıfkı, "Çankaya"*, Cilt; I, Dünya Yayınları, İstanbul, 1958

- *AYDEMİR, Şevket Süreyya, "Tek Adam"*, Cilt; I, II, III, Remzi Kitapevi, İstanbul, 1966

- *AYIŞIĞI, Metin, Prof.Dr. "Unutulan Soykırım: Batı Anadoluda Yunan Mezalimi"* makalesinden alınmıştır

- *CEBESOY, Ali Fuat, "Milli Mücadele Hatıraları"*, Vatan Neşriyatı, İstanbul, 1955

- *CEVİZOĞLU, Hulki, "İşgal ve Direniş"*, Cevizkabuğu Yayınları, Ankara 2007

- *ERTÜRK, Hüsamettin, İki Devrin Perde Arkası*, Pınar Yayınevi-İstanbul, 1964

- *ESENKURT, (E) General Kenan, "Türk istiklal Savaşında Milli Ordunun Silah ve Mühimmat İkmali"* (Basılmamış musvette eser), Harp tarihi Arşivi, No. 1/218, Dolap No.72, Göz No. 452-A Ek No.3

- *Ege'de Kurtuluş Savaşı Başlarken HASAN TAHSİN"* isimli kitapdan yararlanılmıştır. Aksoy Yayıncılık,1998

- *GÖNLÜBOL, Mehmet, Olaylarla Türk Dış Politikası*, Alkım Kitapevi Yayınları, Ankara, 1989

- *MALİ KANUNLAR*, Cilt; I, Maliye Bakanlığı Bütçe ve Mali

Kontrol Genel Müdürlüğü Yayını, Damga Matbaası, İstanbul, 1956

- *MALİ KANUN VE KARARLAR*, Maliye Bakanlığı Bütçe ve Mali Kontrol Genel Müdürlüğü Yayını, Damga Matbaası, İstanbul, 1941

- *MÜDERRİSOĞLU, Alptekin*, **Kurtuluş Savaşında Mali Kaynakları**, Yapı Kredi Bankası Yayınları, Ankara, 1981

- *MÜDERRİSOĞLU, Alptekin*, **"Sakarya Meydan Muhare-besi Günlüğü"**, Kastaş yayınları, İstanbul, 2004

- *KARABEKİR, Kazım*, **"İstiklal Harbimiz"**, Türkiye Yayıne-vi, İstanbul, 1960

- *KARAL, Enver Ziya*, **"Atatürk Hakkında Düşünceler"**, Türk Tarih Kurumu Yayını, Ankara, 1956

- *KINROSS, Lord*, **Atatürk**, Sander Yayınları, İstanbul, 1980

- *KOCAOĞLU, Osman* **"Rus Yardımının İç Yüzü"** Yakın tarihimiz Cilt; I, İstanbul, 1946

- *KOLOĞLU, Orhan, Dr*, **Türk Basını**, Kuvayı Milliye'den Günümüze, Kültür Bakanlığı Yayınları, No: 1563, Ankara 1993

- *KÖYLÜ, Murat*, **"Kurtuluşun Gölgedeki Kahramanları"**, Fark Yayınları, Ankara, 2007

- *KUTAY, Cemal*, **" Türkiye İstiklal ve Hürriyet Mücadeleler Tarihi"**, Ercan Matbaası, İstanbul, 1961

- *KUTAY, Cemal*, **Büyük Zaferin Yapısında Tekalifi Milliye**, Büyük Zaferin 50.Yıldönümü Armağanı, Ankara

- **K.K.K. lığı**, **İkmal Konsept ve Esasları**, Kara Kuvvetleri Basımevi, Ankara, 2003

- *KÜÇÜK, Yalçın*, **Türkiye Üzerine Tezler**, Tekin Yayınevi, İstanbul,

- *ÖZALP, Kazım*, **"Milli Mücadele 1919-1922"**, Cilt; I, II, Türk Tarihi Kurumu Yayını, Ankara, 1971 ve 1972

* ÖZAKMAN, Turgut, *"Şu Çılgın Türkler"*, Bilgi Yayınevi, Ankara, 2005

* PEKER, Nurettin, *"İstiklal Savaşında İnebolu ve Kastamonu Havalisi"*, Askeri Matbaa, İstanbul.

* SABİS, Ali İhsan, *"Harp Hatıralarım"*, Güneş Matbaacılık T.A.O., Ankara, 1951

* SELEK, Sabahattin, *Anadolu İhtilali*, Burçak Yayınevi, İstanbul, 1966

* UĞURLU, Nurer, *"Çerkez Ethem Kuvvetleri, Kuvayı Seyyare"*, Örgün Yayınevi, İstanbul, 2007

* ÜNAL, Tahsin, *Atatürk Parasızlığı da Yenmişti*, Türk Kültürü Yayınları, İstanbul, 1965

* YERASIMOS, Stafanos, *Türk-Sovyet İlişkileri*, *Gözlem Yayınevi, İstanbul, 1979*

Türk GenelKurmay Başkanlığı Yayınları

* T.C. GEN. KUR.Bşk.lığı ATESE Bşk.lığı, *Türk İstiklal Harbi, MONDROS Mütarekesi ve Tatbikatı* Cilt.I, Gen.Kur. Basımevi, Ankara, 1962

* T.C.GEN.KUR. ATESE Bşk.lığı, *Türk İstiklal Harbi Batı Cephesi 3 ncü Kısım 1nci Kitap*, Cilt; II, Genkur. Basımevi, Ankara, 1967

* T.C.GEN.KUR. ATESE Bşk.lığı, *Türk İstiklal Harbi 7 nci Kısım İdari Faaliyetler (15 Mayıs 1919-2 Kasım 1923)*, Cilt; II, Genkur. Basımevi, Ankara, 1975

* T.C.GEN.KUR. ATESE Bşk.lığı, *Türk İstiklal Harbi Batı Cephesi 5 nci Kısım 1nci Kitap Sakarya Meydan Muharebesinden Önceki Olaylar ve Mevzi İlerisindeki Harekat*, Cilt; II, Genkur. Basımevi, Ankara, 1972

* T.C.GEN.KUR. ATESE Bşk.lığı, *Türk İstiklal Harbi Batı Cephesi*

6 ncı Kısım 3 ncü Kitap Büyük Taaruzda Takip Harekatı, Cilt; II, Genkur. Basımevi, Ankara, 1969

- *T.C.GEN.KUR. ATESE Bşk.lığı, Türk İstiklal Harbi Batı Cephesi 6 ncı Kısım 4 ncü Kitap, İstiklal Harbinin Son Safhası,* Cilt; II, Genkur. Basımevi, Ankara, 1969
- *T.C.GEN.KUR. ATESE Bşk.lığı, Türk İstiklal Harbi Güney Cephesi,* C.IV, Ankara, Gen.Kur.Basımevi, 1966
- *T.C.GEN.KUR. ATESE Bşk.lığı, Türk İstiklal Harbi Doğu Cephesi, Cilt.IV, Ankara, Gen.Kur.Basımevi, 1966*

Yunan Genelkurmay Başkanlığı Yayınları :

- *NİDER, General K.,* "*Küçük Asya Harekatı I. Devre*"(Basılmamış musvette eser), (Çev: Piyade Asteğmen Lefter Ksontoplos), Yunan Büyük Askeri Bahri Ansiklopedisi, Atina, 1928
- *DUSMANIS, Korgeneral Victor,* " *Küçük Asya Harekatının İçyüzü*" (Basılmamış musvette eser), (Çev.:Teğmen Hristo Etorun), Pirsos Yayınları, Atina, 1928
- *Yunan Genelkurmay Başkanlığı Beynelmilel Askeri Tarih,* "*1919-1922 Küçük Asya Seferinin Özetlenmiş Tarihi*" (Basılmamış musvette eser), Askeri Tarih İdaresi Yayını, Atina, 1967
- *RODA, L.Roda,* "*Yunanistan Küçük Asya'da*" (Basılmamış musvette eser), (Çev.:Piyade Asteğmen Yorgo KUNDAKÇIOĞLU), Atina, 1950,
- *Yunan Genelkurmay Başkanlığı,* "*Yunan Ordusu İzmir'de*" *(Basılmamış musvette eser), (Çev: Kontantinos İoannis Emirce) Askeri Tarih İdaresi Yayını, Atina, 1957*

FARK YAYINLARI

Yayın Listesi

Araştırma & İnceleme

1. Türkiye'nin Etnik Yapısı (41. Baskı)	– Ali Tayyar ÖNDER
2. Kaosa Doğru İran (2. Baskı)	– Prof. Dr. Osman Metin ÖZTÜRK
	– Yrd. Doç.Dr. Yalçın SARIKAYA
3. Ordu ve Politika (2. Baskı)	– Prof. Dr. Osman Metin ÖZTÜRK
4. Küresel Güç Politikaları Türkiye ve İslam (3. Baskı)	– Prof. Dr. Nadim MACİT
5. Dış Türkler (Türk Dünyası'nın Parlayan 5 Yıldızı) (2. Baskı)	– Fuat UÇAR
6. 12'ye 5 Kala Türkiye	– Hüseyin MÜMTAZ
7. Ulusal Kurtuluş Mücadelesinde İç İsyanlar	– İbrahim Sadi ÖZTÜRK
8. Sevr Antlaşması/Tam Metin (2. Baskı)	– İbrahim Sadi ÖZTÜRK
9. Amerika Çökerken/Yeni Kutuplaşma	– Prof. Dr. Osman Metin ÖZTÜRK
10. Atatürk'ten Ulusa Sesleniş (2. Baskı)	– Ali Cem VATANTÜRK
11. Yanıldık, Uyandık, Başardık, Ya Sonrası...	– İzzettin İYİGÜN
12. Kurtuluşun Gölgedeki Kahramanları	–Murat KÖYLÜ
13. Türk Kimliği/ Yabancı Kaynaklara Göre (3. Baskı)	–Rıza ZELYUT
14. Unutulan Bedel	–Orhan S. KİLERCİOĞLU
15. Zorunlu Adalet	–Şemsettin CERAN
16. 1. TBMM'nin Gizli Oturumlarında Atatürk'ün Konuşmaları	–İbrahim Sâdi ÖZTÜRK
17. Türkçülüğün Manifestosu	–Fuat UÇAR
18. Çanakkale Savaşları'nın Resmî Tarihi	–Erol KARCI
19. İmparatorluk Politikalarında Teo-stratejiler ve Türkiye	–Prof. Dr. Nadim MACİT
20. Türkiye'ye Yönelik Psikolojik Operasyonlar	–Prof. Dr. Özcan YENİÇERİ

Ulusal Türkiye Dizisi

1. Kemalizm (7. Baskı)	– Prof. Dr. Anıl ÇEÇEN
2. Türk Devletleri (4. Baskı)	– Prof. Dr. Anıl ÇEÇEN
3. Türkiye ve Avrasya	– Prof. Dr. Anıl ÇEÇEN
4. Türkiye'nin B Planı (2. Baskı)	– Prof. Dr. Anıl ÇEÇEN
5. T.C. Ulus Devleti	– Prof. Dr. Anıl ÇEÇEN
6. Türkiye'nin Avrupa Macerası	– Prof. Dr. Anıl ÇEÇEN
7. Güncel Kemalizm	– Prof. Dr. Anıl ÇEÇEN (YAKINDA)

Değişim Kitaplığı

1. Dişilikten Kişiliğe	– Aliye YILMAZ
2. Yükseklerin Tanrıları (Roman)	– Aycan ALP
3. Gençler İçin Hayat Stratejileri	– Jay McGraw
4. Misakçılar	– Aycan ALP
5. Geriye Dönüş	– Murat KÖYLÜ

Hobi

* 7'den 70'e Sudoku Okulu (2. Baskı)	– Canan ONURAL

FARK YAYINLARI

Fark Yayınları, Sandal Ltd'nin tescilli markasıdır.